きれいを磨く

美しい日本語帳

道行めぐ
一校舎国語研究会
［著］

永岡書店

はじめに

季節の言葉、天候の言葉、人の世を織り成す言葉、どれをとっても日本語の豊かさにあらためて驚かされます。

たとえば、「花（桜）」に関する言葉一つを見ても、「初桜」「花明かり」「花の雨」「花冷え」「花筏」「花の下臥」「花衣」「夜桜」「花吹雪」「遅桜」……咲き始めから散るまで、さまざまな言い方で桜の姿を伝えます。

また、冬から春へ、あるいは秋から冬へ、季節が移ろいゆくときの喜びや寂しさを込めた表現。「恋」の言葉の、現代人には及びもつかないような言い回し。ふだん使われるさりげない言葉の含蓄……。

そんな言葉の数々と、その言葉にまつわる話、そして美しい詩のコラボレーションから、この本は生まれました。この三つが相まって言葉のイメージがいっそう深まることでしょう。

そしてもう一歩、読むだけでなく、友だちと、あるいは恋人とのふだんのおしゃべりの中で使ってみませんか。口に出すことによってこれらの言葉はもっと輝いて、あなたの美人度がワンランクアップすること間違いありません。

編者

目次

春の天候

2

6 冬の章

付録・知っておきたい言葉

1

春の章

春の戸

はるのと

重く閉ざした扉を開けて
次の季節へ出かけよう
雨に洗われ　雪を忍んで
こんなにきみは　綺麗になった
夜明けを知らせる一条の光
ほら　世界が手招きしてる

開けば春が来る

文字どおり、春を閉じ込めている戸のこと。〝閉じ込められている〟と表現されるのは、春は格別に誰もが待ち焦がれている季節という気分があるからでしょう。

「戸」を境にこちら側と向こう側は別の世界であり、「戸」は別世界への入り口の比喩《ひゆ》として使われています。

このように違う世界につながるものの比喩表現には、「山を越える」「トンネルを抜ける」「橋を渡る」などがあります。「山」には登るつらさが、「トンネル」には暗闇を進む不安が、「橋」は川の向こうに彼岸《ひがん》があるというイメージにつながり、心理的に深い意味を持つ言葉です。

薄暗い室内にいて春を待ちわびており、戸の隙間《すきま》からは陽光が差し込み、戸を開けると目の前に希望のあふれる「春」の世界が開ける――そんな情景の浮かぶ美しい言葉です。

麗か《うららか》

うららかな陽射しをあびて
あなたと歩く散歩道
こんな日は　どんな悩みも
ささいなことに思えるね
ブロック塀の丸いひだまり
太った猫が　ノビをする

春の光のやわらかい美しさ

春の太陽がのどかにやわらかく照っているさま、日差しの美しさを表す言葉です。立春ごろからの春らしい日の長さを表す語には「日脚伸《ひあしの》ぶ」のほか、「日永《ひなが》」（長くなった昼間）、「遅日《ちじつ》」（日の暮れが遅くなったこと）、「長閑《のどか》」（ゆったりとのんびりした春の気分）などがあり、強調するところは違いますが、いずれも春を迎える喜びを表現しています。

「麗か」はまた、鳥の声などが明るく朗らかであることのほか、朗らかで伸び伸びした様子や晴々した気分、心にわだかまりや隠しごとがなく伸びやかであることなども表します。

「麗」を「麗《うるわ》しい」と読めば、「ご機嫌うるわしく」のように気分や人間関係が良好であることのように容姿や色・形が心地よく感じられるさまなども表し、「美しい」ことより気高く立派である様子に比重がかかります。

雪間《ゆきま》

冷たい風の合間をぬって
ふわりと降りてくる　ぬくもり
まだ少し　かじかむ指に
最初の春が　静かにとまる

雪が解けて顔を出す黒い土

気温はまだ冬のまま寒い日が続きますが、三月になると日差しがやわらかく、暖かくなってきます。そんなころの、雪が解けてところどころ黒い土が顔を出している様子です。わずかな土に喜びを感じる北国の人の、春を待ち焦がれる思いが伝わってくる言葉です。

ほかにも「斑雪《はだれゆき》」「残雪」「雪の果」など、雪を使った春の言葉はたくさんあります。雪が解けた後、寒が戻って「凍返る《いてかえる》」、そして「凍解け《いてどけ》」て、「薄氷《うすらい》」が張る――いずれも行きつ戻りつしながら次第に春になってゆく様子を表します。

雪の果

ゆきのはて

あれが　あなたとの最後だった
さよならさえも　言えないままに
救われない恋はタナトス
落ちては消える　雪のひとひら

ついに終わりを迎える冬の雪

よく知られる「名残雪」と同義で、はらはらと降って積もらないことが多い「降りじまいの雪」。「雪」は冬の象徴ですが、解けていくころから春を表す言葉になるのはおもしろいところです。「雪の別れ」「忘れ雪」ともいい、要するにその年の最後の雪なのですが、「果」とつくと趣が加わり、なぜかドラマチックな情景を想像させる言葉になります。「果てる」には長く続いていた物事が最後まで行き着いて終わりになる意味があり、「雪の果」には、雪に閉じ込められていた人々の春を待ち望む思いが込められていることがよくわかります。

佐保姫

さほひめ

光の粒子を全身にまとって
そのひとは現れた
一瞬で恋に落ちたぼくのことなど
気付きもしない　鮮やかさで

芽吹きの季節をつかさどる〝姫〟

佐保姫は春の女神です。古代中国の思想で東は春にあたるところから、奈良の都の東にある佐保山の姫が、芽吹きの季節をつかさどる女神とされました。対して紅葉の季節に采配《さいはい》を振るうのは、大和の西境にある竜田山《たつたやま》の竜田姫です。

春はすべての生物が躍動し始める季節。〝わが世の春〟のように勢いが盛んな様子や、〝春をひさぐ〟のように性的な意味合いやエロスも含む言葉です。

春を連れてくる佐保姫とは、艶《つや》っぽい幸せの光に包まれている美しい姫を想像させられますね。

下萌《したもえ》

きみが優しくなったのは
本当の強さを　身につけたからだね
しなやかに笑えるようになったのは
心に意志を　宿したからだね

雪間に芽吹く春

春になって、地面から生え出る草の芽をいいます。「萌《も》える」は草木が芽を出すことですが、「下萌」は、草や木の黄緑色の若芽とは違い、早春のまだ雪が残っているような固い地面から出てくる草の芽のこと。大地に春がやってきたことを知らせる緑の合図です。

下萌の大盤石をもたげたる　高浜《たかはま》　虚子《きょし》

この虚子の句に詠まれているように、若くて柔らかい草の芽は、しかし、大きな石を持ち上げるほどの力を秘めているのです。

春から夏へ、驚くほどの生命力で伸びてゆく草の小さな芽生えです。

青き踏む

あおきふむ

よちよち歩きの小さな足が
草に取られてよろめくと
すぐにパパが受けとめて
ママが抱きしめ　頬《ほお》にキス
きみは　いつか気付くだろうか
はるか未来の荒野を照らし　力に変わる
愛された日々のギフトに

青く芽を吹く野山を歩く

春の草が芽吹くころの野遊びや摘み草、野山のそぞろ歩き。もとは古代中国で青草が芽ぐむころ行われた「踏青《とうせい》」という水辺の禊《みそぎ》であり、自然信仰的な儀式だったようです。

「青」を春の色とするのは「木火土金水」の五行《ごぎょう》で万物が成り立つと考えた古代中国の思想「五行説」によるもの。また「青」は「青二才」「青くさい」のように未熟さ、若さを表すこともあり、青春という言葉にそれがよく表れています。

「踏む」は、一つの動詞でありながら、「麦踏み」のように足に全体重と渾身《こんしん》の力を加える動作からか、「青き踏む」にも語義に強さがあります。「異国の土を踏む」のように、ある場所に到達し身を置くことも、「お百度を踏む」ようにお参りすることにも使われるように、「踏む」には「行く」や「する」などでは表現できない精神的な意味合いも含まれています。

ひこばえ

「おまえはお爺《じい》ちゃんの宝物だよ」
その言葉に　いつもあたためられてきた
だからいま　同じ言葉を贈りたい
わたしの小さな　宝物にも

力強い〝命の再生〟

「孫生え」「又生え」「余蘖《よげつ》」ともいい、春、木の根や切り株から萌《も》え出す新芽をいいます。芽を「子」でなく「孫」としているのは、本来、地中の種や枝の先から出るはずの芽が、木の根や、地表に倒されて一旦《いったん》は命を失ったはずの切り株から生え出す不思議さゆえでしょうか。

「ひこばえ」といえば、宮崎《みやざき》駿《はやお》氏のアニメ映画『もののけ姫』のラストシーンで、倒された木々から吹き出した芽を思い出す人も多いでしょう。群がり生える芽は自然によって生み出され、連綿と続く〝命の再生〟そのものです。

山笑う

やまわらう

きみが　あははと元気に笑うと
ぼくらはみんな　幸福になる
春爛漫《はるらんまん》　きみは魔法のセラピスト
どんなお医者もかなわない

花が咲き木々の芽吹く明るい山の姿

春の山の草木がいっせいに若芽を吹いて生き生きとした明るい景色です。

故郷やどちらを見ても山笑ふ　　正岡　子規

など俳句にも好んで使われる言葉で、大きく堂々とした「山」と「笑う」という表情のある情緒との距離感が、いかにも春らしい気配を表現しています。

もとは山水画の基礎を確立した宋《そう》の画人・郭熙《かくき》の『山水訓』に「春山、淡冶《たんや》にして笑うごとし」とあるところから出た言葉。同書では「山滴る」は夏、「山粧う」は秋、「山眠る」は冬と続いています。

雪洞

ぼんぼり

子供がこさえた雪洞が
人待ち顔の　蒼《あお》い夕暮れ
きみと入ってみようかな
胸の想いを　ともしびにして

語源は雪の洞《ほら》からもれる明かり

本来の「雪洞」は雪を固めて作った洞。雪の山中での避難場所として作るほか、伝統的な雪国の行事である「かまくら」「雪室《ゆきむろ》」として知られます。「ぼんぼり」の名は、「ほんのり」の転化ともいわれ、雪室の灯りがぼんやりと見える様子から「ぼんやりと灯りが見える灯具」という意味で名づけられたといわれます。江戸時代には主に「物がうすく透いてぼんやり見えるさま」などの意味で使われていましたが、次第に小さい行灯《あんどん》や、灯をともす部分を紙や絹で蔽《おお》った手燭《てしょく》や燭台のこともいうようになりました。

雛流し

ひなながし

桜衣の雛人形が
ひとり　はぐれて漂う水面《みなも》
水鳥たちが空を見上げて
風にガイドを頼んでる

人形《ひとがた》を流して厄払いする行事

「雛祭り」は、現代では女の子のために雛人形を飾るお祭りですが、そもそもは三月三日の節句に、紙で作った人形の形代《かたしろ》に「けがれ」を移し、川や海に流して一家の厄払いをした風習の名残りといわれています。

「けがれ」とは、日常や普段を意味する「褻《け》」や、生命・意識を総称する「気《け》」が枯れた状態という見方もあり、雛流しは、人の性《さが》としての精神的・観念的な「けがれ」を払う敬虔《けいけん》な風習でした。今も雛流しが行われている地方はあちこちにあり、雛を川に流す情景がニュースになったりします。

春の愁い

はるのうれい

白く光る季節に沈む
きみの愁いに気が付いたとき
ぼくは最初　おろおろとして
それから　にわかにどきどきしたんだ
まつげを伏せた　その横顔が
あんまり綺麗だったから

うららかななか、浮き彫りになる哀愁

日も長くなり、暖かくなる季節なのに、周囲の明るさとは対照的に、これといった理由もなく気持ちがふさぐ、という哀愁に近い情緒を表現する言葉です。

「哀愁」「旅愁」というときの「愁い」は日本独特の情緒を表していますが、なかでも「春の愁い」は日本的な季節感と同時に女性的な甘さのある言葉で、秋の同じような言葉である「秋《しゅう》思《し》」の、根源的な「もののあはれ」とは対照的な意味合いです。

生理学的にも春と秋は、心身が季節の変化に追いつけず、自律神経が失調しやすいといわれ、はらはらと散る花びらにも涙するような心境に陥りやすく、実際、春と秋は夏冬に比べ、鬱《うつ》状態になりやすい季節でもあります。

同じ「うれい」でも、「憂い」と書くと、心配や不安など現実的・処世的な意味合いに比重のある憂鬱感が強くなります。

木の芽時《このめどき》

嬉《うれ》しい顔　緊張の顔　はにかんだ顔
新しい鞄《かばん》のなかに　一杯の希望を詰めて
気をつけて　行ってらっしゃい
はりきりすぎない速度で、ね

木々は芽吹き人も活動的になるころ

木々に新芽が吹き出す春の三月末から四月のころ。眠ったように見えた草木からも新芽が萌え出て、「春紅葉《はるもみじ》」といわれるほど艶《つや》やかな色合いの若葉を広げ始めます。この時期は、冬が終わり、暖かくなったことも手伝って、開放感から急に活動的になるもの。ちょうど年度替わりも重なって進学や就職で新しい環境に入ったり引っ越ししたりするため、気分は高揚するものの、心身ともに疲労を溜《た》めやすい季節でもあります。だからこそ注意喚起の意味も含め、この時期の不調を「木の芽病」などと呼ぶのでしょう。

ふらここ

行きつ戻りつ　揺れる心
ふらここのように
春と一緒に訪れた
恋の予感の風が吹く

恋の気分が揺曳《ようえい》する古代中国の行事

「ふらここ」とは「ぶらんこ」のこと。「鞦韆《しゅうせん》」ともいい、古くは「ゆさわり（由佐波利）」と呼ばれていました。春秋時代の列国のひとつだった斉《せい》（今の中国・山東省）の覇者・桓公《かんこう》が、北方蛮族の遊具だった「鞦韆」を取り入れ、春節（旧暦の元旦）に晴れ着を着た男女が乗って漕《こ》ぐ行事にしたもの。唐《とう》代には後宮の女性たちが華やかな衣装を翻して戯れたといいます。美しく着飾った女性が「ふらここ」で揺れる姿に恋に落ちた男性もいたのでしょう。中国古代の行事でも「ふらここ」は恋の気分がたなびいているような春の言葉になっています。

朧

おぼろ

せつない別れの季節には
想いのたけを集めましょう
そして　朧の籠《かご》に乗せ
夜空の海へ　流しましょう

ぼーっとかすんで、なまめかしい気配

春の夜のぼんやりとかすんだ状態が「朧」。湿った南風の運んだ水蒸気が空気中に立ち込めているためです。夏であれば湿度が高く、蒸し暑くなりますが、春の湿気だと、夜気もやわらかく感じられ、湿った空気の中になまめかしい気配を漂わせます。

同様の状態には何にでもつけられる語で、代表的なものは「朧月《おぼろづき》」。どこか濡《ぬ》れたような月が空にある景色が思い浮かびます。日本の詩人や物語の作者に愛されてきた「朧」。『源氏物語』にも「朧月夜の君」が登場しますし、漢詩や和歌にもたくさん詠まれています。

春暁

しゅんぎょう

陽《ひ》が沈む5分前の空は
陽が昇る5分前の空と似ている
そう　だから
夜が来るのをおそれないで

春の夜明けならではの情趣

春の曙《あけぼの》。「春眠、暁を覚えず」は『春暁』という漢詩の一節であり、『枕草子《まくらのそうし》』にも「春はあけぼの」とあるように、古来、春の夜明けには格別な趣があると感じられてきました。

夜明けをいい表す言葉は数多くあり、古くは、夜半から夜の明けるまでの時刻の推移が、夜更けから順に、太陽の昇る前のほの暗いころは「暁」、東の空が明るくなるころは「東雲《しののめ》」、ほのぼのと夜が明けはじめるころは「曙」と区分されていました。

春暁や低きところに月ひとつ　　辻　桃子

花明かり

はなあかり

パステルカラーのオーラを放って
軽やかに踊る彼女
花のような優しさと　氷柱《つらら》のような鋭さを
自在に操りながら
白い鎖骨にミューズが降りる
憧《あこが》れが止まらない

春の夜を桜の花がほの白く照らす

桜の花が満開で、夜でもあたりがぼんやりと、ほの明るく感じられることをいいます。実際、暗がりの中で白に近い桜色の花が満開の桜は、まるで発光しているかのような印象を受けます。雪明かりの強さには及びませんが、梅や桃の、そこだけをほんのりと照らす明るさとは種類の違う明るさを感じさせるのです。「夜桜」などと、夜にもその美しさを愛《め》でる花は桜だけではないでしょうか。花も樹液も皮も根も、どこを絞って染めても桜色に染まる、という話や、美しい桜の木の下には誰かの死体が埋まっている、といった物語が、夜桜の美しさを特別なものにさせているのかもしれません。

気象的にも春は曇天が多く、夜桜のころは闇夜か朧月夜《おぼろづきよ》であることが多いので、桜の花のかたまりの明るさが、なんだかそれ自体発光しているように感じられるのでしょう。

花の雨

はなのあめ

咲くことだけを喜んではいけない
散ることだけを悲しんではいけない
すべてのものは移りゆく
移りゆくから　美しいのだ

桜の花が背景にある雨の景色

「花の雨」を辞書で見ると、「桜の花に降り注ぐ雨」「桜の咲くころの雨」とあるのですが、でも、桜の花びらがまるで雨のように舞い散る様子を連想させられますね。実際に降っている雨は、しとしとと音もなく降り続く、いわゆる「春雨」。ただし、降る雨の背景に淡いピンクの桜の花を感じさせ、桜の季節ならではの情緒を浮き立たせる「花の雨」なのです。

　中空にとまらんとする落花かな　中村《なかむら》　汀女《ていじょ》

はらはらと散る花びらの動きまでが感じられる句ですが、桜の花びらの舞い落ちる姿は、やはり「花の雨」と形容したい美しさに満ちています。

花冷え

はなびえ

「少し寒いね」 そう言って
きみはピンクのショールを巻いた
花冷えの空は水浅葱《みずあさぎ》
きみが桜に見える午後

桜が咲くころの思いがけない冷え込み

春も闌《たけなわ》となり、桜の花も咲いたのに、思いがけない冷え込みが来ることがよくありますが、そのころの寒さを「花冷え」といいます。もう冬物に用はないと思えるほどの陽気のあとに、雪でも舞いそうな寒い日があったり、日中の暖かさに油断していると夜になって震え上がるほどに冷え込んだりする、不安定な寒暖の気候がその背景にあるのですが、それにしても「花冷え」とは美しい言葉ですね。

時期としては春の彼岸が過ぎたころ。底冷えするような寒さではありませんが、夜桜見物には温かい上着が欠かせないようです。

花筏

はないかだ

昨日の雨の余韻を残す
桜が川面《かわも》を漂っている
流れはどこへ行き着くだろう
悲しい恋の亡骸《なきがら》を乗せて
咲けば散るのが運命だった
咲けば散るのが運命だった

花びらが川面に集まり流れてゆく

筏に桜などの花を取り合わせた家紋の柄にもなっている「花筏」。水面《みなも》に散り敷いて流れる花びらを筏に見立てた言葉で、花の枝を折り添えた筏のことをいう場合もあります。

ようやく満開になったと思ったころに無情の雨が降り、一夜にして地面に散り敷かれた花びら。川面を見れば、「花筏」が流れていく――川の多い国・日本では、桜の散るころ、そんな情景があちこちで見られます。

「花筏」もそうですが、「花吹雪」や「落花」など、桜は散ってゆく様子や散り落ちた花びらにも捨てがたい美しさがあり、だからこそ、その美しさを表す言葉がたくさんあるのでしょう。

ちなみに、「花筏」はミズキ科の落葉低木の名前でもあります。晩春から初夏にかけて、淡黄緑色のごく小さい花を数個、葉の中央につけるのですが、その姿を筏に見立てての命名です。

花の下臥

はなのしたぶし

あたたかな地面を枕に見たものは
桜色の空に
空色の桜が散らばるクラウドランド
夢とうつつの境界線で

横たわって仰ぎ見る爛漫《らんまん》の桜

「下臥し」「下伏し」は物の陰や下に伏すこと、あるいはうつ伏せになること。それに〝花の〟がついて花の下で臥す、つまり桜の花の下に寝ることを意味します。花の下に横たわり、仰向いて満開の桜を見る。淡いピンクの桜の花の向こうには青空が見え、あまりの気持ちよさについ眠ってしまって……。いったいどんな夢を見ることでしょう。

「花の枕」も同じような意味で使われます。枕については、ほかにも「草枕」「旅枕」「膝枕《ひざまくら》」など、いつもとは違ったところで眠る状況を表す言葉は三十以上もあり、どれも美しい言葉として今も使われています。

花衣

はなごろも

ぐるぐる巻きのマフラーを顎《あご》まで上げて
冷え込む夜に顔をしかめる
可笑《おか》し可愛《かわい》し　着ぶくれ花人
北風嫌いの　ぼくの恋人

舞い散る花びらを受けて人も花に

平安朝では「桜襲《さくらがさね》」といって、表が白、裏が葡萄《えび》染《ぞ》めの「襲《かさね》」の色目のことを花衣といったのですが、次第に花見のときに着てゆく女性の美しい衣装のことをいうようになりました。江戸初期の花見は、美しい打掛《うちかけ》を桜の木から木へ張り渡し、仮の幕として人に見せたそうです。

また、花びらが人に散りかかる様子を見立てていう場合もあります。蕪《ぶ》村《そん》の「筏士《いかだし》の蓑《みの》やあらしの花衣」などはその例でしょう。

花見をする人を「花人《はなびと》」、花見を終えてわが家に帰るとどっと疲れが出る、それを「花疲れ」といいます。

鳥雲に入る

とりくもにいる

大事なものが増えていく
背負う荷物が重くなる
それが幸福と　ひとは言うけれど
わたしなら
自由な翼と変化を怖《おそ》れぬ勇気がほしい
空をゆく　あの鳥たちのように

渡り鳥の群れが雲間に消える

耳慣れた鳴き声が、ある日を境に聞かれなくなり、群れごとに飛び立って雲間はるかに見えなくなる——それを「鳥雲に入る」といい、「鳥雲に」とも使われます。雁《かり》、鴨《かも》、白鳥などの鳥や、鶫《つぐみ》、山雀《やまがら》、四十雀《しじゅうから》、鶸《ひわ》などの小鳥が北方に帰るのです。「鳥帰る」もほぼ意味は同じですが、逆に燕《つばめ》や郭公《かっこう》などのように、春に南方から飛来して日本で繁殖し、秋にはまた南へ帰る夏鳥の飛来は「来る」といい表されます。

雀《すずめ》、鴉《からす》、雉鳩《きじばと》など渡り鳥ではない鳥を「留鳥《りゅうちょう》」といいますが、渡り鳥の中にも居残り組がいて「残る鶴」「残る鴨」「残る雁」などと呼ばれています。

日本の野鳥の大半は渡り鳥で、その比率は六〜八割にものぼるとか。数千㎞から一万㎞超という長距離を往復する渡り鳥の生態には、まだ解明されていないことも多いようです。

雁供養

かりくよう

旅の途中で折れた翼に
ひとは涙し　哀れむけれど
ただ淡々と受けとめて　鳥たちは
あるべき命の飛翔を続ける

帰れず落命した雁《かり》の供養という伝説

「雁《がん》」はカモ科の水鳥で、「かり」は鳴き声からつけられた別名です。ひときわ情緒のある渡り鳥で、特に春、十羽ほどが列をなして鳴きながら北へ帰る姿は見る者の哀れを誘い、さまざまな語句や伝説を生んできました。「雁供養《かりくよう》」もその一つ。雁は秋に飛来する際に波間で羽を休めるために嘴《くちばし》にくわえてきた木片を浜に置く。春に北に去るときにその木片をくわえて帰るのですが、死んだ雁の数だけ浜辺には木片が残る。その木を炊いて沸かした風呂を人々にふるまい、雁を供養したという伝説です。「雁風呂《がんぶろ》」ともいいます。

囀り

さえずり

明るく弾んだファルセットで
ハミングしている　きみが好き
少し音程が外れていても
小鳥みたいな　きみが好き

小鳥たちが奏でる求愛の歌

小鳥がしきりに鳴く様子や、その鳴き声。主に鶯《うぐいす》・頬白《ほおじろ》・雲雀《ひばり》・河原鶸《かわらひわ》など春に繁殖期を迎える雄が発する特徴のある美しい鳴き声をいいます。小鳥はまた、ときにテリトリーを誇示する甲高い鳴き声を発し、あるいは上機嫌で浮かれ鳴くこともあるといわれています。時鳥《ほととぎす》・郭公《かっこう》・黒鶫《くろつぐみ》・大瑠《おおる》璃《り》などが囀り出すのは夏。

囀りやピアノの上の薄埃《うすぼこり》　島村《しまむら》　元《はじめ》

「百《もも》囀り」も同義で、数の多い意味を表す接頭語。「百千鳥《ももちどり》」は数多くの小鳥が集まっているさまを強調しています。

海市《かいし》

ぼくたちは
形にならない恋をした
約束も　誓いも　何も持たずに
空に浮かぶ　蜃《しん》気《き》楼《ろう》の島のように
ただ　想いだけがそこにある

虚空に浮かぶ壮大な幻像

蜃気楼のこと。晩春に海上や砂漠などで空気中の温度差のために太陽光線が屈折し、空中に船が浮かんで見えたり、砂漠で、そこにないオアシスが見えたりする現象です。倒立像になることもあります。氷山が見えると「幻氷」と呼びます。

昔、蜃気楼の発生理由がわからなかった時代は、蜃《みずち》（大蛤《おおはまぐり》）が気を吐いて描いた楼閣と考えられ、「蜃気楼」の呼び名が生まれたといわれています。「海市」はその別名で、古代中国では、海上に浮かぶ幻の街を「海市」と呼んだとか。

日本では富山湾の魚津《うおず》海岸で見られる海市が有名ですが、小さなものは琵琶湖《びわこ》などでも観察されています。極北の空に広がるオーロラは、虚空に像を映し出す点では海市と同じですが、太陽から電気を帯びた粒子（プラズマ）が地球の極近くに飛んでくることによって起こる発光現象です。

陽炎《かげろう》

子供のころ　陽炎を追いかけて
自転車のペダルを夢中で踏んだ
そのバリアを突破すれば
違う自分に変身できるような気がして

陽光を浴びて揺らめく光

春の、天気のよいおだやかな日に、砂浜や野原などの地面から炎のような透明なゆらめきが立ちのぼる現象。急に強くなった日差しで地面が熱くなって不規則な上昇気流を生じ、空気の密度が均一でなくなったために通過する光が不規則に屈折して起こるものです。古語では「かぎろひ」といいます。

成虫になって数時間で死ぬという「蜉蝣《かげろう》」の短命に通じることから、はかないもののたとえとしても使われます。「陽炎 稲妻 水の月」などと、形は目に見えても捉えることはできないものを代表する言葉でもあります。

霾

つちふる

黄砂《こうさ》に煙る　いつもの場所は
粒子の粗い素描画みたい
あと少しの距離なのに
あなたの姿が　なんだか遠い

大陸から季節風に乗って来る砂塵《さじん》

雨冠の下に「貍」という見慣れない漢字ですが、「黄砂」といえばわかる方が多いでしょう。主に中国北部やモンゴルの乾燥地帯などで吹き上げられた砂塵が上空の偏西風に運ばれて日本、韓国、中国などに降る現象をいいます。三～四月に多く、量が多いと空が黄褐色となることがあります。「つちぐもり」「よな埃《ぼこり》」ともいい、中国大陸から飛んでくるので昔は「蒙古《もうこ》風《かぜ》」とも呼ばれていました。

春は美しい季節ですが、現実には強風と埃、それに近年は杉花粉も加わって眼病などに悩まされる季節でもあるわけです。

春惜しむ

はるおしむ

卒業の中学生は抱き合って涙を流し
高校野球の終わりを告げるサイレンが鳴る
そうやって一歩ずつ　わたしたちは歩いてきた
やがてまた巡りくる
けれど同じ今日はない　人生のルフラン
試練の冬を越え　情熱の夏を目指して

去り行く春の名残りを惜しむ

行く春を惜しむ「惜春」の気持ちを表す言葉。のどかな季節が去るのを惜しむと同時に、時が移りゆくことのもの悲しさも込めた表現です。「春」が、人生の中でも勢い盛んで楽しい時期を表すことから、「人生の春」を引き止めたい気持ちも加算されています。小説や映画などに「惜春」を使ったタイトルが少なくないのも、大人なら誰しもが感じる心情だからでしょうか。「行く春」「暮の春」「春の果て」「春の別れ」なども、去りゆく春を惜しむ気持ちを表現しています。

行く春や鳥啼《な》き魚の目は泪《なみだ》　松尾　芭蕉

過ぎ去っていく春との別れを悲しむかのように、鳥は鳴き、魚の目には涙が溜《た》まっている——芭蕉が奥の細道へ出立する際に詠んだ惜別の句です。「春惜しむ」情と、人々との別れを悲しむ心を交差させて、句をさらに味わい深いものにしています。

霞

かすみ

天女の薄い羽衣が世界を包む　霞の日には
少しだけ　時間が速度をゆるめる気がする
だから　そう　急がずに
だから　そう　ゆっくりと
自分のリズムを取り戻そう

春の野山にたなびく薄雲

空気中に浮遊する細かい水滴やちりなどのために、遠くのものがぼんやりと見える状態を「霞」といいます。朝や夕方などに雲に日が当たって赤く見える現象にも使います。

もともと「霞」という気象用語はなく、視界が一㎞未満のものを「霧」といい、それより薄いものを「靄《もや》」と呼ぶのだそうですが、この三つは本質的な違いはありません。実体は、湿った空気の温度が下がって、あるいは飽和するまで水蒸気が加わって、地表近くで発生した霧状の水滴が集まった薄い雲です。でも、文学の上では、ひえびえとした「霧」は秋であり、やさしくたなびく「霞」は春そのもの。「霧」は深く立ち込め、「霞」は遠くに淡く見えるものです。

春なれや名もなき山の薄霞　松尾　芭蕉

ちなみに、霞は夕方までで、夜は「朧《おぼろ》」といいます。

東風《こち》

無鉄砲を繰り返すきみを見て
周りはいつもハラハラするけど
いいんだ　ぼくは慣れているから
馬耳東風《ばじとうふう》を決め込んでるのさ

東から吹く春の強い風

春になって東、あるいは北東から吹いてくる強い風。激しく吹くのを「強《つよ》東風《ごち》」、朝夕の「朝東風」「夕東風」、漁に結びつけて「いなだごち」「鰆《さわら》ごち」、あるいは「雲雀《ひばり》ごち」など、地方ごとに多彩な呼び方があって、生活に密着した風であることがわかります。菅原道真《すがわらのみちざね》が大宰府に左遷される際に詠んだという有名な歌「東風吹かば匂《にほ》ひ起こせよ梅の花あるじなしとて春な忘れそ」から、「梅ごち」ともいわれます。

春風といっても、必ずしも暖かい風ではなく、海辺では荒い波を伴う強い風で、寒さがぶり返したりします。

貝寄風《かいよせ》

潮風が　ビルの間を吹き抜けていく
はるかな頃《ころ》の遠浅を探してでもいるように
ひとはいつから忘れてしまったのだろう
やわらかく　あたたかな　あの土の感触を

海辺に貝を吹き寄せる春の風

旧暦二月二十日ごろに吹く、難波《なにわ》の浦に貝を吹き寄せる西寄りの風。「貝寄」とも書きます。大阪四天王寺の聖 霊会《しょうりょうえ》に供える造花の材料に使う貝を竜神が難波の浜に吹き寄せて捧げるという言い伝えから生まれた言葉です。聖霊会とは聖徳太子の忌日に行われる法会《ほうえ》（死者の追善供養）。現在は四月十二日に行われています。

「貝寄風」が吹くと、一年中で潮の干満が最大になる「大潮」（旧暦三月三日～七日）も間近で、楽しみな潮干狩りももうすぐ。古くから日本人の暮らしの中で生きてきた細やかな季節感を今に伝えてくれる言葉です。

春一番《はるいちばん》

春一番のニュースを境に
キャシャーンみたいなマスク姿に変わるきみ
風情がないねと笑いながら
ぼくはちょっぴりしみじみするんだ
だってそれは　ぼくにとっての風物詩
今年の春もきみが隣にいることの
一番確かな証明だから

春の訪れを知らせて吹き荒れる風

二月から三月にかけて、その年初めて吹く強い南風のこと。「春疾風《はるはやて》」「春嵐」とも呼ばれるように、春に吹く嵐のような南風をさします。九州地方の漁師言葉だったものが一九五〇年ごろからマスコミに使われて広まったといわれています。

立春過ぎに吹くことが多く、日本海を進む発達した低気圧に向かって、南の高気圧から風が吹き込んで発生する強風。気温が急に上がって、太平洋側には異常高温、日本海側にはフェーン現象を起こすこともあります。

立春は二十四節気の一つで、節分の翌日の二月四日ごろ、暦の上で春が始まる日ですから、まさに春の訪れを知らせる風といえます。風とはいえ、最大瞬間風速は八m以上のもの。台風を思わせる強さで吹き狂う荒々しさは、春といううららかな季節の、激しい一面を思い知らせるようです。

菜種梅雨

なたねづゆ

春に降る　雨のようなひとになりたい
優しく　甘く　柔らかな香りをまとい
誰かを静かに休ませてあげられるような
そんな　あたたかな水になりたい

菜の花畑にしとしと降る雨

菜の花が咲き、菜種の採れるころ、三月下旬から四月ごろにかけて、連日のように降り続くやわらかで静かな雨。「春の長雨」「春霖《しゅんりん》」ともいいます。

春の雨は「絹糸のような」とも形容され、四季の雨の中でもなんとなく甘く、匂《にお》やかな感じがしますね。実際に、しとしとと降り続く雨のおかげで、木々は芽吹き、草の芽は伸び、花のつぼみはふくらんできます。

うっとうしいことには違いはないものの、「菜種梅雨」には、黄色に咲き広がる菜の花畑に降る雨という、明るく艶《つや》やかな響きが感じられます。

花曇

はなぐもり

満たされているはずなのに不安になるのは
きっと　わたしの悪い癖だね
花曇の日に浮かぶ　朧《おぼろ》をまとった月のように
幸福の輪郭が　少しぼやける

花を養う花見のころの曇り空

桜の花のころの、暖かい曇り空。「鳥曇《とりぐもり》」「養花天《ようかてん》」ともいいます。養花天とは、花を養う、花を永らえさせる、という意味です。

このころになると日差しも増し、低気圧と移動性高気圧がかわるがわる通って、天気が変わりやすくなります。一日のうちに晴れと曇りが入れ替わるような日も多く、曇りの後には細かく滴るような雨が降ります。

桜の花の満開は一週間ほど続きますが、せっかく満開になった後に春の嵐でも吹いたら、一夜にして散ってしまいます。「花曇」はそんな桜の花を美しく咲き続けさせてくれる、優しい空模様でもあります。

風光る

かぜひかる

公園の緑のなかで空を見上げる　金色の犬
そよそよと吹く風に長い毛をなびかせて
嬉《うれ》しそうだね　きらきらしてるね
「だって、また新しい朝がきたんだよ！」
無心の瞳《ひとみ》が放つ光は
太陽よりも　ぼくにはまぶしい

光り輝くような春の風

春の日の明るい光の中を、そよ風がうららかに吹き渡ること。輝くような明るさをいう言葉でもあり、まばゆい陽光の中を吹き渡る風が、あたかも光っているかのように感じられる心象風景を表しています。「春風」の駘蕩《たいとう》とした大人然の風情に対比すれば、この風は、喜びに弾けんばかりの繊細な少年のようです。

現代でも「風光る」は、漫画や小説のタイトルになるようなしゃれた新しさがありますが、実は江戸時代中期の歳時記にも載っていたほどのキャリアある言葉です。

明るすぎる光の中、季節の変化に乗り遅れた心は、「五月病」にかかることもあります。そんな弱い精神を切り捨てるようなキラキラとした季節、南の地方は梅雨入り前の爽《さわ》やかなひときであり、北の地方ではいっせいに開く花の季節でもあります。

穀雨

こくう

優しい雨に身をゆだねて
草木が囁《ささや》き合っている
夏へ向かうお色直しの　その相談に
蛙《かえる》がルルルと口を出す

しとしとと降る雨に育《はぐく》まれる穀物

二十四節気の一つ。穀物を豊かに育てる四月二十日過ぎの雨。「節気」とは、陰暦が使われていた古代中国で、暦と四季の周期がずれて農耕などに不便を来たすことから設けられた暦上の目安点。太陽が一年で一周する「黄道」を二十四等分し、名前をつけたものです。春には、二月四日の「立春」からほぼ十五日おきに「雨水《うすい》」「啓蟄《けいちつ》」「春分」「清明《せいめい》」、そして「穀雨」の六節気があります。

気温も上昇し、穀物が豊かに育つこのころに降る雨は、農民にとっては天の恵みの雨だったでしょう。

若葉風

わかばかぜ

緑の風が赤ん坊を撫《な》でてゆく
菜の花が楽しそうに揺れている
新しいものたちは　いつも眩《まぶ》しくまっさらで
希望の光に満ちている

若葉を揺らして吹くやさしい風

若葉が出そろった新緑のころに野山を吹く心地よい風。

「若葉」は芽を出して間もないころの葉の総称。特に初夏の初々《ういうい》しい葉をいいます。草木の葉とする説もありますが、やはり主として樹木の葉でしょう。この季節、落葉樹の枝先からは吹き出すように若葉が広がり、枯れ枝を覆《おお》っていきます。葉の形に広がったばかりの若葉は薄く柔らかく、食べてしまいたいほどのみずみずしさです。春も長《た》けて、初夏のきざしを撒《ま》き散らすように若葉を揺らして風の吹くこのころが、一年の中でも最も爽《さわ》やかな喜びあふれる季節かもしれません。

小糠雨

こぬかあめ

もう一度会いたいと
ずっとずっと願っていたのに
あなたはわたしを覚えてなかった
笑顔のままで　小糠雨

音もなく降る細かな雨粒

　雨滴が米糠の粒子のように細かい雨。「糠雨」「音なき雨」ともいいます。「糠」は、その状態や性質が、細かい、はかない、頼りない、役に立たない、といった様子を表す接頭語です。「小」も、小さい、細かい意を表す接頭語ですから、「小糠雨」はごくごく細かい雨粒ということになります。

　雨音も立てず、傘をささなくても歩ける、あるいは傘をさしても、どこかともなく衣服をしっとりと濡《ぬ》らしてしまうような、この雨の降り方を表現するにはまさに言い得て妙な言葉ですね。

春霖

しゅんりん

三日三晩の憂鬱《ゆううつ》に
どこで区切りをつけようか
心に吊《つる》す　てるてるぼうず
あした天気になれ

昨日も今日も降り続く春の長雨

春の長雨のことですが、特に三日以上降り続く雨をいいます。雨音を立てる降り方ではなく、絹糸を引くようにしとしとと降る雨。「霖《りん》」は「長雨」の意味で、秋の長雨は「秋霖《しゅうりん》」といいます。

春は気候もよく、雨が多いことを実感しませんが、たとえば台風シーズンの九月と対比してみると、降雨量は三分の一程度に過ぎないものの、雨の日は一か月に十数日もあり、実際はかなり雨が降るのですね。

春雨の柔らかく続く雨の感じがよく出ている句にこんなのがあります。

春雨や小磯の小貝ぬるるほど　与謝　蕪村

忘れ霜

わすれじも

朝一番の澄んだ空気をかき分けながら
小さな犬が嬉しそうに飛び跳ねている
あしもとに　シャリリと冷たいシャーベット
最後の春が落としていった　忘れもの

農家にとっては一大事な春の霜

春も終わりに近くなる四月下旬ごろに降りる遅霜で、「別れ霜」「晩霜《ばんそう》」ともいいます。「霜」は、氷点下になった地面で空気中の水蒸気が凍ってできる氷の結晶。昼間は暖かくても、急に冷え込んだ、風の弱い晴れた夜に降りやすいのです。

「忘れ」や「別れ」には、情感いっぱいの想いが背後にくっついていて、なんともいえないロマンチックな雰囲気がありますが、農家にとっては死活問題です。山間《やまあい》に畑地を持つ農家では、畦《あぜ》に積んでおいた草に火をつけて水蒸気を霧に変えたりして、夜通し霜の被害予防に奔走《ほんそう》します。

2

夏の章

短夜

みじかよ

新月の闇に隠れて愛を語らう恋人たちを
午前5時の太陽が急《せ》かし始める
小鳥のスキャット　風のヨーデル
散歩の犬の弾んだマーチ
ぼくたちが作った繭は　外側から溶けてゆくから
静寂のなかにはもう　いられない

夜明けの早い夏の夜

春分の日を過ぎると、だんだん昼が長くなり、夜が短くなります。特に夏至《げし》のころは、すぐに白々と夜が明けて、短夜のピーク。「短夜」という言葉には、こうした夜明けの早さに驚き、はかない夜を惜しむ気持ちが込められています。詩歌の世界では昔から、春は「日永《ひなが》」「日暮遅し」など、のびてゆく昼に重点がおかれ、夏は夜の短さやはかなさが重視されてきました。また秋は「夜長《よなが》」、冬は「短日《たんじつ》」と、それぞれ季節によって表現に違いがあるのも趣深いことです。

男が女のもとに通った「妻問《つまど》い婚《こん》」の時代は、短い夜を恨み、朝の別れのつらさを歌った和歌が多く見られ、「短夜」という言葉には、男女の艶《えん》なイメージが重なります。「明易《あけやす》し」「明急ぐ」「明早し」などの言葉も、眠り足らぬうちに明けきってしまう「短夜」のはかなさを表しています。

万緑《ばんりょく》

夏の風に誘われて　ふたりで出かけた最初のドライブ
12番目の信号で　不思議そうにあなたが振り向く
「助手席の窓の景色をどうして見ないの？」
緑があんまりまぶしくて、と答えたけれど
本当は　ただほれぼれと　ほれぼれと
マニュアル車を巧みに操る　あなたを見てた

見渡すかぎり緑また緑

野にも、山にも、庭にも、青葉・若葉が満ち満ちているさま。夏の大地にみなぎる生命感を表す言葉です。

もともとは、北宋《ほくそう》の政治家で唐宋八家の一人、王安石《おうあんせき》の詩の中の一節「万緑叢中紅一点《ばんりょくそうちゅうこういってん》」が出典ですが、日本では、俳人の中村草田男《なかむらくさたお》が、〈万緑の中や吾子《あこ》の歯生え初《そ》むる〉と、俳句に用いたのが最初でした。木々の緑の中で、赤ん坊の生え出たばかりの白い歯が美しく映える……というこの名句をきっかけに、生命力あふれる夏の季節感を表す言葉として定着しました。

「万」という漢語の持つ勇壮な響きによって、緑の濃く、力強い様子がより強調されている言葉です。「青葉」「若葉」「新緑」などの言葉以上に、夏のおおらかさ、力強さを表現できる点が好まれ、詩歌や季節の手紙にもよく使われます。

青葉闇

あおばやみ

そのひとは　幾千の羨望《せんぼう》を浴びながら
どこか苦しそうな微笑を見せた
光が強くなるほどに　闇は濃くなる
闇の深さは　きっと誰にもわからない

生い茂った夏木立の下の暗闇

夏の木立は青々と茂りますが、葉を茂らせたぶんだけ、木の下は光が通らず、昼でも暗く感じます。この暗さを「青葉闇」といいます。「下闇《したやみ》」「木《こ》下闇《したやみ》」「木の暮れ」「木暗し」「茂り」なども、同じ意味で使われる言葉です。

太陽が照りつけるところと、木蔭との明暗の差で、一瞬目がくらみ、闇に入ったかと錯覚する気持ちや、ひんやりとした空気、土の湿りなどへの驚きを表現するのに最適な言葉で、自然の森のほか、お寺や神社の杜《もり》などのうっそうとした樹木の表現に用いることが多いのも、その情景をよく表すからでしょう。

緑蔭《りょくいん》

天地をごろんとさかさまにして
背中に地面をしょってみたら
葉っぱの間にぽっかりと　青い穴があいていた
あれを抜けたら　光の国へ行けるかな

風がそよぎ憩いの場となる木蔭

同じ木蔭でも、前の「青葉闇」が、暗さに焦点をあてているのに対し、「緑蔭」は、周りの明るさの中の緑を強調し、葉のそよぎや、木漏れ日《こもび》の光の揺らめきまでも感じさせる言葉です。

そこには、憩い、涼しさ、安らぎのイメージがあり、情景も語感も明るいのが特徴。「翠蔭《すいいん》」という言葉も同じように用います。

涼風のそよぐ木蔭のベンチに腰をおろし、語らったり、本を読んだり、お弁当を食べたり……そんな爽《さわ》やかな光景を思い起こさせます。

青嵐《あおあらし》

夏本番の一歩手前で吹く風が
一瞬の強い力でわたしの心をさらっていった
髪を直して　振り向いたとき
思いもかけないあなたへと　恋をしていた

青葉のころ吹き渡るやや強い風

五〜六月ごろ、林や草原を揺るがして吹き渡る強い風です。嵐といっても、荒々しい風ではなく、晴々とした明るい風。万緑を吹き揺るがせ、青い色彩感を伴うので、「風青し」「夏嵐」などとも表現されます。木々の枝葉のざわめく音や、草のなびく様子が彷彿《ほうふつ》とする言葉です。

ちなみに「青」は夏を表す色なので、「青嵐」をはじめ「青葉」「青野」「青田」「青梅」「青林檎《りんご》」「青すすき」などの言葉を手紙や文章に上手に活用すると、夏の季節感を出しやすくなり、美しい響きになります。

青田

あおた

白いお米をほおばりながら
「日本人でよかったなぁ」ときみが笑った
そうだね　今《ここ》に生まれてよかった
きみと　こうして出逢《であ》えたから

苗が伸びて青々と連なる田

稲がだんだん伸びて、株分かれをして茂り、一面に青々とした水田が広がっている様子をいいます。風に葉をそよがせる青田の連なりは、色彩的にも美しく、最も日本らしい風景といえるでしょう。

田の面《おもて》を「青田面《あおたづら》」、吹き渡る風を「青田風」、風につれて波立つ稲葉は「青田波」、この季節を「青田時《どき》」、青田の中の道を「青田道」といいます。

まだたっぷり水面が見えている早い時期の田は、「早苗田《さなえだ》」「植田《うえた》」「五月田《さつきだ》」といい、言葉によって田んぼの微妙な季節の移り変わりがわかりますね。

麦秋《ばくしゅう》

「この夏は　美味《うま》いビールが飲めそうだ」
そう言って　あなたはわたしの手を取った
ロマンティックは望めないけど
金色の麦のしっぽで　愛が揺れてる

一面黄金色の麦の刈り入れ時

穀物の多くは秋に熟しますが、麦だけは初夏が刈り入れ時。五月中旬～六月の太陽の中、野山も田畑も青々とした中で、麦畑は金色の穂波を揺らしています。麦にとっては収穫の秋ということから、「麦秋」「麦の秋」という美しい言葉が生まれました。ちょうどこの時期、麦熟星（牛飼座《うしかいざ》の一等星）も輝き出します。

麦は梅雨に濡《ぬ》れると発芽してしまうので、梅雨前にいっせいに刈り入れます。昔は刈った麦を干して、麦車で運び、麦こき、麦打ちなどするのが、日本の農村の原風景でした。

蛍火《ほたるび》

流れ続けるせせらぎの上空で
蛍の光が交差してゆく
あれは　ぼくらの分身だろうか
夏はどこまで　続くだろうか

乱舞する蛍を見て楽しむ

昔は「ほう、ほう、ほうたる来い」などと歌いながら蛍見物をするのが、初夏の風物詩でした。「蛍火」「初蛍」「宵蛍」「蛍舟」「蛍籠《かご》」などの美しい言葉が残っています。無数の蛍が入り乱れて飛ぶ情景を「蛍合戦」ともいいます。いまは環境の汚染で、自然に飛び交う蛍の姿はなかなか見られません。特に都会では、養殖蛍を広い庭園に放っての「蛍見」が多いのですが、それでも季節の趣を求めて多くの人が集まり、その風情を楽しみます。蛍のはかない美しさはいつの時代でも人の心をとらえて離しません。

夏野《なつの》

力をつけて輝く太陽
むくむく膨らむ白い雲
野菜を積んだトラックが
風に幌をなびかせて走ってゆく
さあ　ぼくたちもアクセルを踏み込もう
加速する夏の香りを　胸いっぱいに吸い込んで

草いきれのするような夏の野原

さまざまな夏草が生い茂って、緑濃い夏の野原のことです。日本中どこでも、国道を少しはずれて歩くと、真夏の日の下、雲の下にこうした草の生い茂る野原を見ることができます。

夏野を行くと、草いきれ（草の茂みから立ちのぼるムッとした熱気）にむせかえって、暑さもひとしお感じますが、古い時代から人々は夏野で、薬草を採ったり、鹿《しか》の袋角を取ったりする薬狩りの行事を行っていました。それゆえ「夏野」という言葉は、万葉の時代にすでに使われていましたが、近代になると、新緑のころの夏野を「卯月野《うづきの》」、梅雨のころの夏野を「五月《さつき》野《の》」ともいい、緑一色なので、「青野」ということもあります。

いずれにしても、夏野というひと言で、太陽のかっと照りつける草の生い茂った暑い野原を思い浮かべてしまうのですから、言葉の力とはすごいものです。

片蔭《かたかげ》

気持ちをうまく言えないぼくらは
ふたつの影を　黙って見ていた
もしもこれが愛ならば　育てていこう
静かに長く　ぼくらの背丈を越えるまで

通りの片側だけにできる日蔭

夏の炎天下では、あまりの暑さに物蔭を探して歩きたくなりますが、照りつける太陽が中天から少しずつ西のほうに傾き始めると、家並みや塀の東側に蔭が伸びてきます。これが「片蔭」です。人々はこの蔭の中に身を入れて、炎暑をしのぎ、ほっとします。「片蔭」が伸びるにつれ、次第に夕方の涼しさも感じられるようになり、さらに気持ちが安らぎます。

夏の日蔭は、普通「夏蔭」といわれますが、「片蔭」という言葉が使われたのは大正時代の俳句から。切り絵のような黒白の対比が詩心を誘ったのでしょう。

空蝉

うつせみ

非通知の着信を
あなただと直感して　思い知る
いまでも忘れられずにいるのは
あなたではなく　わたしの方だと

蝉が脱皮した後の脱け殻

空蝉の語源は、「神」に対する「うつそみ＝現世の人」という意味ですが、平安時代から「蝉の脱け殻」の意になったといいます。『源氏物語』でも、「空蝉」は蝉の脱け殻のように衣を脱ぎおいて、源氏の求愛から逃れています。

和歌では「空蝉の」は、「世」「人」「身」にかかる枕詞《まくらことば》として、はかなさや無常を詠むときに使われます。俳句でも夏のはかない景物として、「蝉の殻」「蝉のもぬけ」といった言い方をされ、芭蕉《ばしょう》は「梢《こずえ》よりあだに落ちけり蝉のから」、蕪村《ぶそん》は「わくら葉にとりついて蝉のもぬけかな」という句を残しています。

蝉時雨《せみしぐれ》

公園の木立を揺らして
みんみんゼミが合唱してる
なんて言ったの？　聞こえないよと
あなたの顔に耳を寄せたら
あなたは小さく　わたしの頬《ほお》にキスをした

蝉がいっせいに鳴きしきる様子

時雨はときどきザーッと強く降ってはやむ雨。たくさんの蝉が鳴きしきる様子が時雨の降るように聞こえるので「蝉時雨」。なんときれいな表現でしょう。藤沢周平の代表作『蝉しぐれ』によって、いっそう身近な言葉になった感があります。

蝉は種類によって、鳴く時期や時間帯が異なるので、それぞれ趣の違う蝉時雨を聞くことができます。欧米には蝉はあまりいないために、鳴き声に馴染《なじ》みがなく、中国には蝉はたくさんいますが、その鳴き声はやかましいものの代表として「蛙鳴蝉《あめいせん》噪《そう》」と形容され、あまり好まれません。

けれども日本の場合は、成虫になってからの蝉の命の短さがもの寂しさを誘うのか、蝉を詠んだ短歌俳句は数多くあります。短い生を謳歌《おうか》する蝉の鳴き声、なかでも降るような蝉時雨は、日本人の心をしっかりとらえているのです。

滴り

したたり

わけもなく流れる涙が
教えてくれることがある
たとえば　それは
こんなにあなたを好きだということ

山の岩肌や苔《こけ》から滴り落ちる水

山滴り、巌《いわ》滴り、崖《がけ》滴り、苔滴りなどといい、清冽《せいれつ》な水の雫《しずく》が間断なく（または断続的に）落ちるさまをいいます。この水は地下水の湧《わ》き出したもので、木々の滴りや、坑道の滴りなどとは別のものです。

この上なく清冽で、無限の涼感があり、滴り落ちる音によって、山の静けさがいっそう強調されます。夏山の緑のみずみずしさの比喩《ひゆ》として、「夏山は滴るごとし」という言い方をします。また「滴るばかりの緑の黒髪」などという比喩《ひゆ》にも使われます。

水中花《すいちゅうか》

薄紅色の水中花に
今日のきみを閉じ込めよう
浴衣《ゆかた》姿にトクンと鳴った
ぼくの胸の鼓動と一緒に

水に入れると咲き開く造花

紙や木の削片や山吹の芯《しん》などに彩色し、圧縮した玩具《がんぐ》があります。コップに水を満たしてこれを水中に投じると、泡を抱きながら沈み、やがてパッと美しい花を開きます。これが水中花です。人形や鳥の場合もあります。四面どこからでも眺められ、水の輝きの中で華やかな美しさが演出されます。夕涼みがてら出かけた縁日や夜店で買って帰るのも風情がありますね。酒席の座興に、「酒中花」という水中花もありました。江戸時代には、酒席で杯や杯洗に浮かべて楽しんだといいます。

花氷

はなごおり

ふたりのあいだの歳の差を
きみは何かと気に病むけれど
まるで気付いてないんだね
涼やかな言葉の響き　ふくよかな心のありよう
きみをこんなに素敵にさせた時間《とき》の長さに
ぼくが嫉妬《しっと》していることを

美しい花々を閉じ込めた氷の柱

大きな氷の中に、きれいな草花などを閉じ込めて、凍結させた柱。昔は装飾と冷房を兼ねて、デパート、劇場、食堂などに置かれましたが、エアコンが普及した最近では、ほとんど見かけなくなりました。

暑い戸外から来て横を通ると、ひんやりとした冷気が感じられ、思わず足を止めたくなります。手を触れたり、ハンカチを氷柱で冷やして、額や頬《ほお》にあてて涼む人もいます。特に子供は珍しさと冷たい感触に魅せられて、母親が呼んでも花氷から離れようとしません。これも夏の風物詩の一つでした。

三越を歩き呆《ほう》けや花氷　　中村　汀女

夏の暑い盛りにすぐ解けてしまう花氷に、束の間の涼をとる。こんな繊細で美しい涼み方ができたとは、本当に日本人は美的感覚の鋭い人たちだと感じ入りますね。

釣忍

つりしのぶ

仕事に疲れた心をふたつ　持ち寄って
民宿の縁側で夜空を眺めた
忍草の葉影から　月の光が降りてくる
戦士たちの傷や痛みを癒すように

忍草《しのぶぐさ》を井桁《いげた》にからませ軒に吊《つ》る

忍草はシダ植物で、樹木や岩に生えます。葉のついた忍草の根茎を、井桁や舟形の枠にからませ、軒下や出窓、庭木の枝などに吊って涼を呼んだのが「釣忍」です。「軒忍」「吊忍」などともいいます。道を通る人にまで涼味を感じさせてくれる、粋《いき》な飾りといえましょう。

水をかけると、忍草の繊細な葉がみずみずしく映え、葉から雫《しずく》がこぼれて、いっそう涼しさを感じます。下に風鈴をつけたものもあり、目からも耳からも、上手に涼を感じとっていた、昔の人の消夏法に感心させられます。

羅

うすもの

心にまとった羽衣が
夏の風にさらさら揺れる
あなたの言葉や視線の向きが
その柔らかなドレープを　いつでも揺らす

薄布で作った単衣《ひとえ》の着物

絽《ろ》、紗《しゃ》、明石《あかし》、上布《じょうふ》、透綾《すきあや》など、薄く軽い布地で作った単衣のこと。夏の女性の和服に多く、万葉の時代から「綾羅《りょうら》」「軽羅《けいら》」「薄衣《うすぎぬ》」などという言葉で、歌に詠まれています。見るからに軽いので、「蝉の羽衣」「蝉の羽」などという表現もされます。どれも美しい言葉です。

薄くて地質が透けて見えるために、身の動きや風によって織り目が揺れて、流れを変え、涼感が漂います。着る人だけでなく、見る側にも涼しさを伝えてくれる夏の着物です。

白日傘

しろひがさ

白い日傘をぱっと広げた彼女を見たとき
炎天下のその場所に　夕刻の風を感じた
そしてぼくは残像のなかにたたずむ
真昼の月の下で咲く　月下美人の残像に

涼感をより高める白い日傘

日傘は、夏の直射日光を避けるために用いるものですが、白い日傘は、見た目にも涼しげで、傘さす人を美しく見せます。

最近は紫外線をカットする黒日傘が流行《はや》っていますが、実用性はともかく、涼感の点では、爽《さわ》やかな白にはかなわないですね。

日傘は、江戸時代に子供の日除けとして生まれ、後に女性も使うようになったもので、かぶる笠《かさ》では髪型を損ねるだろうとの、お上《かみ》の粋《いき》なはからいによります。当時は、紙製のものや、華やかな絵日傘もありました。

朝涼
あさすず

少し早めに目覚めた朝は
世界中に「おはよう」を言ってみる
ピンクの朝顔　青い猫の目　緑の合歓木《ねむのき》
今日を始めるものたちに平等に吹く　銀の風

朝起きたときに感ずる微妙な涼しさ

真夏の暑さに耐えていると、ふだん気にもとめない微風や、涼風にまで喜びを感じます。朝起きたとき、かすかな風の涼しさを感ずる……これが「朝涼」で、身に受ける涼味というより、むしろ胸のうちに受け取る涼しさかもしれません。朝夕のかすかな変化にも季節の移り変わりを感得する日本人の感受性に注目した言葉です。

同じ意味で「夕涼」「晩涼」「夜涼」「微涼」「涼風《すずかぜ》」などという言葉もあり、季節を先どりする思いが込められています。

薫風《くんぷう》

風の使者が　耳元でそっとささやく
ねぇ　恋は
ひとをしあわせな気持ちにするものだよ
しあわせになれる　恋をしようよ

青葉の香りのする心地よい風

みずみずしい青葉の芳しさを運んでくるような、やわらかい南風のこと。「薫風」は漢語で、唐の詩人白楽天《はくらくてん》の漢詩の一節「薫風南より来り」が有名です。日本でも奈良時代や平安中期の漢詩集で「薫風」という言葉が使われ、和歌、俳句では、「風薫る」「薫る風」などとして詠まれています。中世宮廷歌人たちは、「風の香」などと、花の香りを伝える風として、春の歌に詠みました。俳句では本来の夏の季感に立ち戻って、初夏の句に用いられます。「風薫る五月」などと、現代人も手紙に使ったりしますが、語感がよく、気持ちのよい言葉ですね。

南風《はえ》

空と海との境目がなくなる頃に
ぼくらはふたりで　船を出そう
マストを昇る風にまかせて
ふたりだけの　場所へと行こう

南方から吹く夏の季節風

春の「東風《こち》」、冬の「北風」と並ぶ夏の「南風」で、みなみ、はえ、まじ、まぜなどいろいろに読まれます。もともとは、漁師たちが用いた生活用語でした。いろいろな風があり、真南からの風が「正南風《まみなみ》」、東に変わると「南風《はえ》」「東風《こち》」、西になると「南西風《はえにし》」、強い風の場合は「大南風《おおみなみ》」といいます。また梅雨を迎えるころや、梅雨の最中に黒雲を伴って吹く重々しい南風が「黒南風《くろはえ》」、梅雨の終わりを告げる明るく軽やかな南風が「白南風《しろはえ》」で、こうした使い分けは、先人たちの豊かな季節感の表れといえるでしょう。

走り梅雨《はしりづゆ》

ふたりで合わせるパズルには
最初から　ピースが足りない
完成しないと知っていながら
ぼくたちは　それを始めた
先へ行けば行くほどに　パトスの森へ迷い込む
ぼくたちの森のなかには　いつでも雨が降っている

本格的梅雨に入る前ぶれ

五月中旬〜下旬にかけて、梅雨めいた雲が広がり、細々とした雨が一週間〜十日ほど続きます。六月初めにいったん降りやみ、その後本格的な梅雨に入る、その前ぶれの雨というので、「走り梅雨」「走り雨」といわれます。爽快《そうかい》であって当然の、新緑の季節の長雨だけに、よりうっとうしく感じられますね。

「走り」は、食品などで、旬に先立って出る初ものを指していうときの「はしり」と同じ意味です。

旧暦四月は卯月《うづき》といって、今の五月下旬のころ。卯の花の咲く時期に、卯の花を腐らせるようにして降り続く長雨というので、走り梅雨のことを「卯の花腐《くた》し」ともいいます。

　ひと日臥し卯の花腐し美しや　　橋本多佳子

うっとうしい長雨も、俳人にとっては美しいものなのでしょうか。

五月雨《さみだれ》

長い雨の降る夜に　恋文を書いてみた
淡いブルーのインクのしずくを
こころの泉にひとつぶ　落として

旧暦五月の長雨で、今でいう「梅雨」

旧暦五月、今の六月中旬〜七月中旬にかけて断続的に降る長雨を「五月雨」といい、「五月雨」の降る時候を「梅雨」といいます。同じことをさしているのに、なぜか言葉からくる印象では、「梅雨」はうっとうしく湿っぽい雨を感じますが、「五月雨」の場合は、強く、爽《さわ》やかな語感で、この二つは俳句でも微妙な差がみられます。

芭蕉の「五月雨を集めてはやし最上川」、蕪村の「さみだれや大河を前に家二軒」、虚子の「急ぎ来る五月雨傘の前かしぎ」などは、五月雨の強い景観をよくとらえています。

青葉時雨《あおばしぐれ》

そろそろ　きみのその手をつかんで
この胸のうち　伝えておこうか
ぽろぽろ　愛がこぼれていって
手遅れになる　その前に

雨の後の木の葉から落ちる雫《しずく》

青葉のころ、雨の後の木々の葉から、パラパラと落ちる雨雫《あましずく》のことで、「青時雨」「樹雨」ともいいます。

都会でも、雨が上がった後、街路樹や公園の木々の下などを通ると、いきなりパラパラと雨雫の音がして驚くことがありますね。「また雨かな」と空を見上げると、青く晴れていたりして。この驚きと清涼感が「青葉時雨」という すてきな言葉を生んだのでしょう。

「青葉時雨」は、青葉のころに降る時雨と誤解されやすいのですが、ほんとうの雨ではないことを覚えておきましょう。

天使の梯子

てんしのはしご

たくさんの天使が迎えにきていたね
空へと続く　その階段を
きみはゆっくり　昇っていった
耳の奥でかすかに聴こえる　ラ・カンパネラ
最後にきみは振り向いて
振り向いて　笑顔で言った
「バイバイ」と……

雲間からさーっと射し込む陽の光

雲の切れ間から幾筋もの太陽の光がさっと射し込むことがありますね。なんだか神々しささえ感じて、あたかも、天と地の間にかけた梯子のように見えます。この梯子を天使が行き交う姿を想像して、西欧ではAngel's Ladder（天使の梯子）と名づけました。別名を「ヤコブの梯子」ともいいますが、その由来は『旧約聖書』に出てくるヤコブの夢からきています。「ヤコブはハランに向かう途中だった。日が沈んだので、そこで一夜を過ごすことにし、その場にあった石を枕《まくら》にして横たわった。するとヤコブは夢をみた。天から地に向かって、さーっと光の梯子が伸びてきて、神の御使いたちが、それを上がったり下りたりしてさざめいていた」。ヤコブの夢に出てきた天の梯子だから「ヤコブの梯子」。日本だったら、さしずめ神話の神々が登場するのでしょうか。

日照雨

ひでりあめ

あなたとふたりで永遠を見た
その場所には始まりも終わりもなくて
呼び合い続ける魂が浮かぶ湖面に
あたたかく細い雨が　ただ静かに降っていた

日が射しているのに降る雨

空は青く、日が照っているのに、パラパラと小雨が降る、いわゆる天気雨のこと。「日向雨《ひなたあめ》」「そばえ」などという言い方もします。特に夏の熱雷(積乱雲に伴う雷)が通るときによく見られる現象です。

昔から「日照雨は狐《きつね》の嫁入り(狐の祝言)」といわれてきました。「こんな不思議なことが起こるのは、狐が嫁入りしているからだよ。狐が嫁入りしているのを人に見られないように天気雨を降らすのさ……」などといわれれば、まるで民話を聞くようで、いきなりの雨に濡《ぬ》れてもなんだか楽しくなってしまいますね。

村雨

むらさめ

遊びを生み出す天才たちが
きまぐれ雨と鬼ごっこする　真夏の夕方
濡れずにたどり着ければヒーロー
彼らの秘密基地《ホームベース》まで

急に降ってはやみ、また降ってくる雨

ひとしきり降ってはやみ、また思い出したように激しく降る雨のこと。群れになって降る感じがするので、「群雨」「叢雨」とも書きます。

「村雨」「にわか雨」「通り雨」は、季節に関係なく使える言葉ですが、特に季節感を出したい場合は「夏の村雨」「秋の村雨」「村雨時雨《むらさめしぐれ》（冬）」などという言い方をします。

美しい語感の言葉で、村雨がさーっと通りすぎた後の、露もまだ乾かずに煙ったような風情は格別。一幅の墨絵のようで、昔から日本人はこうした余韻のある風景を好んできました。

雲の峰

くものみね

綿飴みたいな入道雲が
ぐんぐん高くへふくらんでゆく
迷わずに　ぼくも夢へと手を伸ばそう
かがめた体を大きく伸ばす要領で

山の峰のように湧《わ》き立つ雲

梅雨明けの夏空に湧き立つ入道雲は、変幻自在に高さを競います。まるで山の峰のように見えるので、「雲の峰」と表現しました。

入道雲を最初に峰にたとえたのは、古代中国の詩人陶淵明《とうえんめい》で、「夏雲奇峰多し」とうたいました。入道雲（積乱雲）は、いかにも勇壮で、男性的に見えるため、日本では太郎の名を冠して呼ぶことが多く、関東では坂東太郎、大阪では丹波太郎、九州では比古太郎と呼ばれています。

雲を山の峰にたとえるのは、眺めて感興尽きない、大いなる自然への畏《い》敬《けい》と賛美が込められているからです。

白雨

はくう

白く煙る激しい雨に
きみの気持ちがわからなくなる
ぼくは　どこへ行けばいい
手風琴《アコーディオン》のピアソラが　遠くで響く

はげしい雨に白く煙る夕立

みるみる空が暗くなり、大粒の雨が地面を叩《たた》きつけ、水しぶきであたり一面、もうもうと白く煙ることから、夕立のことを「白雨」ともいいます。やや文学的な表現ですが、雨を色でとらえた、美しい言葉としてよく使われます。

時には雷鳴を伴ってはげしく降り、そしてすべてを洗い流して雨が去ると、再び日が射し、蝉の声や人通りも元に戻る、この夕立の豪快さ、潔さ、炎暑をうそのように拭《ぬぐ》い去って、涼気をもたらす爽快《そうかい》さが愛されて、夏には欠かせない風物詩となっています。

木漏れ日《こもれび》

木漏れ日が一回揺れたら　もう一度
二回揺れたら　もう二度　三度
「大好き」って言ってみて
「大好き」って答えるから

木々の間から漏れる光

木々に日が射し込み、葉や枝の間からその光が漏れること。光は風のそよぎによって千変万化に揺れて、地面に魅惑的な模様を描きます。風がなくても、葉の間から漏れくる静かなあたたかい日の光は心をなごませてくれます。

特に新緑の季節、若葉を透かして射し込むやわらかな木漏れ日はこのうえなく美しく、写真家や画家たちもこぞって木漏れ日を作品に残していますす。こんな美しい木漏れ日を浴びて、ときには森や林を歩いてみましょう。身も心も清々しくなること請け合いです。

3

恋の章

願いの糸《ねがいのいと》

あなたを好きだと思うときの　赤
近くにいられないときの　青
一緒にはしゃいでいるときの　黄
幸福でいてほしいと祈るときの　白
いろんな色を紡ぎ合わせて　わたしは想いの機《はた》を織る
最後は　紫
神様に　願いが届きますように

七夕の竿先《さおさき》にかける五色の糸

旧暦七月七日は七夕祭り。竹の竿の先につけて、織女《しょくじょ》星に手向ける五色の糸を「願いの糸」といいます。五色の糸を飾って星に祈ると、三年の間に必ず願いが叶《かな》うといわれました。いつの時代もひそかに恋の願掛けがなされてきたことでしょう。

七夕は、古くは宮中の行事でしたが、江戸のころにはすっかり庶民の行事として定着しました。江戸初期には、竹に五色の願いの糸をたらすだけでしたが、元禄のころには、色紙や短冊に古歌や自作の和歌を書いて吊《つ》るすようになり、さらにそこに願い事を書くようになって、現代へと続いてゆきます。恋しい人の名前を書いたり、字や裁縫が上手になりたいと願ったりした七夕のこの風習を詠んだ次のような歌があります。

七夕をまつるこころはひとつにて
願いの糸はおのがすぢすぢ　源《みなもとの》　頼政《よりまさ》

遣らずの雨

やらずのあめ

わたしのことを雨女だと
あなたはいつも笑うけど
ねぇ知ってる？　この雨が
あなたと逢うときにしか降らないこと

行かせたくない人を引きとめる雨

恋する男女が久しぶりに会えました。けれど男はすぐに出立しなければなりません。短い時間を惜しむ二人。男が「さあ行かなければ……」と立ち上がったとたん、まるでそれに合わせたかのように激しく降り出す雨。

このように、行ってほしくないのに行かなくてはならない人を引き止める雨が、「遣らずの雨」です。「遣る」とは、人を行かせること。同じ意味で「遣らずの風」という言葉もあります。

いっときでも長く、好きな人を引き止めておきたい、そんな切なくいじらしい女心を表す恋の言葉です。

心化粧《こころげそう》

嘘をつかないこと
欲張らないこと
最初の気持ちを忘れないこと
それが　わたしの恋の3原則

愛する人に会うための心の準備

心に化粧をする、つまり相手に好意を持ってもらいたくて、あの人の好きな話題はなんだろうとか、こんなことをいうと嫌われてしまうかな、などといろいろ心の準備をしていくことです。「心づくろい」などともいいます。『源氏物語』の中にも何度か「心化粧」という言葉が出てきており、平安時代にすでに使われていた言葉だとわかります。

化粧というのは、本来神事などで、神様をお迎えする特別な日にするものでした。ですから、今日はあの人に会える特別な日というときに、顔だけでなく、心に化粧をするというのも、かわいい女心がよく表れていますね。

恋の蛍

こいのほたる

打ち上げ花火が終わったあとの暗闇を
小さな蛍がほんのり照らす
ふたりはそんな関係だった
きみは　蛍のようだった

恋こがれる気持ちのたとえ

恋こがれる思いを蛍の火にたとえた、なんと風情のある言葉でしょう。『夫木和歌抄《ふぼくわかしょう》』の中で、平祐挙《たいらのすけたか》も「あまひこよ雲のまがきにことづてん恋のほたるは燃えはてぬべし」と、恋しい気持ちを蛍火にたとえて詠んでいます。また、都々逸《どどいつ》には「恋にこがれて鳴く蝉よりも鳴かぬ蛍が身をこがす」という文句があります。鳴かない（鳴けない）蛍はそのぶん光ることで想いを表し、まるで身をこがしているようだ……と。

蛍を介して表現しているのは、いつの時代も変わらぬ恋の切なさ、はげしさなのです。

恋の闇

こいのやみ

新月の夜に現れるのは
きみの姿をした魔物かもしれない
それでもぼくは　抱くだろう
闇と手を組み　堕《お》ちるだろう

恋のために理性を失った状態

「恋の闇路」ともいい、恋のために心が乱れて、理性を失った状態を闇にたとえていった言葉です。

恋をすると周囲のことが何も見えなくなってしまいます。心のコントロールもままならなくなり、感情がはげしく揺れ動きます。われを忘れて嫉妬《しっと》に狂ったりするのも、まさに「恋の闇」の中に迷い込んでしまうせいでしょう。分別を失っている点では「恋は盲目」も同じですが、こちらはぐんと明るい印象。恋一筋で、恋人の欠点がまるで見えなくなっている娘たちに、「恋は盲目だね」と冷やかしていったりする言葉です。

恋衣《こいごろも》

不安になるのは　なぜ
孤独になるのは　なぜ
好きになればなるほど
苦しくなるのは　なぜ
そう　理由はわかってる
いま　ここに　あなたがいない
いま　ここに　あなたがいないから

心から離れない恋のたとえ

寝ても覚めても、思いこがれてやむことのない恋心は、まるで身を離れない衣のようだ……というもの。常に心から離れない想いを、衣のまつわる様子にたとえた優雅な言葉です。

古歌にも「恋衣」という言葉が効果的に使われています。

妹待つと山の雫《しずく》に立ちぬれてそぼちにけらしわが恋衣

土御門院《つちみかどいん》『風雅』の中の一首ですが、ひたすら恋人を待ちこがれる切々たる想いが伝わってきますね。「衣」というのは、どこかなまめかしく、男女の秘めた熱い想いを包み隠している気がします。近代の女流歌人の代表、与謝野晶子《よさのあきこ》、山川登美《とみ》子《こ》、茅野雅子《ちのまさこ》が共著で若き日に刊行した歌集の名も『恋衣』でした。高浜虚子《きょし》の次の二句もなかなか趣があります。

行く春や畳んで古き恋衣

春雨の衣桁《いこう》に重し恋衣

面影《おもかげ》

雑踏のなか　すれ違う
楽しそうに寄り添うカップル
どこか　ぼくらに似ているね
幸福だった頃の　ぼくらに

恋しい人の顔や姿

恋の言葉としての「面影」は、記憶に残っている恋人の顔や姿のこと。あるいは恋人を思い起こさせるよすがとなる印象や雰囲気をいいます。単なる顔や姿でも、「面影」「俤《おもかげ》」「おもざし」などという言葉を使うと、格段にゆかしく、趣深く思えるのは不思議なことです。愛する人の面影を求めて一人旅立つ……などというのは、恋の代表的シチュエーションですが、それが演歌的にも、シャンソン的にも、雅《みやび》な和歌としても表現できるのが、「面影」という言葉のおもしろいところです。そういえば、昔『忘れじの面影』というすてきな映画もありました。

恋教え鳥《こいおしえどり》

あなたの旅のおみやげは
ガラスでできた　青い鳥
幸運を呼ぶ伝説は本当みたい
こんなに近くで　愛を見つけた

鳥のセキレイのこと

セキレイの異名です。『古事記』の神話がその由来。伊佐那岐《いざなぎ》、伊佐那美《いざなみ》の二神は、結婚はしたものの、どうしたら子供ができるかわかりませんでした。そこにつがいのセキレイが飛んできて交合。その所作を見て、二神はめでたく結ばれたといいます。以来セキレイは「恋教え鳥」「恋知り鳥」といわれるようになりました。『古事記』の描写はなんともおおらか……。そして「恋教え鳥」とは、なんと粋《いき》な命名でしょうか。

セキレイは、つがいになれば、ほぼ一夫一妻。とても仲がよく、相手を変えない品行方正な「恋教え鳥」です。

逢瀬《おうせ》

夜風を受けて　船の灯りが
沖へ　沖へと滑ってゆく
ねぇ　ありふれた幸福がふたりには
なぜ　こんなに遠いのかな
見上げる空には下弦の月
半分だけの　光が哀しい

愛し合う男女が逢《あ》うこと

愛し合った男女が逢う場合に、「逢瀬」という言葉を使います。ただし何の翳《かげ》りもなく、いつでも会えるハッピーな二人の場合には、あまりこの言葉は使いません。七夕の牽牛《けんぎゅう》と織女《しょくじょ》のように、一年にたった一回しか逢えないとか、あるいは人目をはばかる恋人同士。日ごろ思うように逢えなくて、思いが募り募って……という背景があるほうが、この言葉はよく似合います。忍ぶ仲で、ひそかに逢うということで、「逢瀬」の意味合いがより深くなるのです。

「逢瀬」の後には、まだドラマが続きます。逢えばなおさら別れがつらい、一日逢えたあの日が忘れられない、逢ってますます思いが募る、面影が目に浮かぶ……だからこそ恋人の逢瀬は、小説でも、舞台でも、映画でも、美しく、見る人の心を震わせるのでしょう。

私語
ささめごと

消えそうなほどかすかな風が
耳元に　アイシテル　を運んでくるとき
わたしは　孤独のない海で
あなたへ寄せる　波になる

男女の間の恋のささやき

内証話、ひそひそ話、ささやきごとの意ですが、特に恋に限定した場合は、男女のむつごとや、恋のささやきのことをいいます。耳もとで小声でささやくので、「耳語」「耳ごと」などという言い方もします。

「私語」というと一般には、若者やおばさんが、場所もわきまえずに喋《しゃべ》っている印象がありますが、「ささめごと」という言い方に変えると、とたんになまめかしく秘密めいて、男女の愛の世界が開けるのですから、言葉の力とはたいしたものですね。新内《しんない》では「浮寝の夢のささめごと」などという艶《つや》な言い方をします。

託言《かごと》

きみが文句を言い始めると
ぼくはひたすら黙り込む
言い訳なんてしたくないから
でもそれが　余計にきみを怒らせる

言いわけ、口実、恨みごと

関係のないことにかこつけて、そのせいにすること。言いがかり、口実といった意味の言葉です。「かこつけごと」「かこちごと」などともいわれます。さらに、何かにことよせて、恨み嘆くこと、恨みごと、愚痴、不平の意味にも使われます。

女の「託言」に男は逃げ腰といった場面は、今も昔も変わらないようで、古今の作品で、「夜毎の託言を思い出しても首筋がゾクゾクする」とか「寝ぬ夜が塵《ちり》と積もると、託言の一つ二つも出てくるので、慌ただしく別れてきた」「託言がましげなのが煩わしい」といった男の台詞《せりふ》が見られます。

徒心

あだごころ

あの日　わたしと始めたように
あなたはすぐに　別の誰かと始めるでしょう
そしてまた　綺麗な花が
実をつけぬまま　散るでしょう

移ろいやすい心、浮気心

誠意ある心を「真心《まごころ》」というのに対して、「徒心」は浮気心です。実がなく、移ろいやすい心のことで、「異心《ことごころ》」「二心《ふたごころ》」「花心《はなごころ》」なども同じように、好色であるとか、多情であることを意味します。浮気者は「徒人《あだびと》」、うそは「徒事《あだごと》」と呼ばれます。

「徒《あだ》」でよく知られる言葉に「徒花《あだばな》」というのがありますね。これは咲くだけで実を結ばない花のこと。転じて実質が伴わないこと。「好意があだになる」とか、「あだおろそかにして」といった使い方も、実のないことをいうときの台詞《せりふ》です。

空言《そらごと》

嘘つきな彼が彼女を泣かせると
みんなは彼を　ひどいと責める
でも本当は　彼女の方が一枚うわて
変幻自在の　嘘泣きだから

うそのこと

事実でない事柄。本心でない心。うそなのに相手が信じるようにいうことです。「虚言」「空事」と書いたり、「空言葉」「徒言《あだごと》」「偽り」などといいかえることも。いつの時代も恋にうそはつきものなのでしょう、和歌、物語、仮名草子、浄瑠璃《じょうるり》、都々逸《どどいつ》などに「空言」という言葉はたくさん出てきます。「空言」の背後に、「うそをつかないで！」「だまさないで！」という女性の叫びが聞こえてくるようです。

でも、逆に「うそでもいいから逢《あ》おうと言って！」という場合もあるから、「空言」も使いようなのかもしれません。

後朝

きぬぎぬ

夜の帳《とばり》を切り開く　朝の陽射しはとても残酷
あなたがくれた優しいキスも
あたたかい抱擁も
嬉《うれ》しい言葉も　約束も
みんな溶かしてしまうから
せめて　風
シャツに残った移り香だけは　飛ばしてしまわないで

愛を交わした翌朝の別れ

愛し合う男と女が一夜をともにした翌朝の別れのことをいいます。「きぬぎぬ」の由来は奈良、平安の昔に遡《さかのぼ》ります。男女が互いの衣を重ねてかけて共寝をし、翌朝それぞれ自分の衣を身につけて別れたので、「衣衣」。その響きを「後朝」に重ね、風情ある言葉になったのです。

一夜をともにした男女が、しらじらと夜が明けそめるころ別れてゆく朝の余情は、通い婚ならではのことですが、後朝の別れの後には、必ず二人の間に「後朝の文」が交わされました。男は家に帰り着いたら、すぐに女のもとに歌を贈ります。即座に贈るのが誠意の証《あかし》でした。文を託す人を「後朝の使い」といいます。女も返歌し、本人が筆をとるのが礼儀でした。『百人一首』の名歌「逢《あ》ひみての後の心にくらぶれば昔はものをおもはざりけり」(権中納言《ごんのちゅうなごん》敦忠《あつただ》)は、後朝の歌の傑作といわれます。

小町
こまち

きみって猫に似ているね
そう言うと　きみはぷくんとふくれるけれど
よくお聞き　猫というのは
神様が作った　一番綺麗な生き物なんだよ

なんとか小町と呼ばれる美しい娘

小野《おのの》小町《こまち》は平安前期の女流歌人。六歌仙、三十六歌仙の一人で、哀調をおびた情感あふれた歌を詠みました。『百人一首』に選ばれている「花の色は移りにけりないたづらにわが身世にふるながめせし間に」はご存じの方も多いでしょう。絶世の美女といわれ、伝説化され、謡曲、浄瑠璃《じょうるり》、おとぎ草子などの題材になっています。

小野小町が美人であったところから、美しい娘のことを小町娘といいます。その時代の名や土地の名をつけて、代表する美人を○○小町といいます。天明小町、日本橋小町、秋田小町……現代にも生きている言葉ですね。

臈長けた

ろうたけた

そのひとは　黒羽二重《くろはぶたえ》の背筋を伸ばして
最後まで　しゃんと乱れず努めを果たした
だからぼくも　いまは泣くまい
無言の美学に　敬意を表して

上品で洗練された美しさ

高貴で上品な美しさ。洗練されて、気品に満ちた透き通るような美しさを表現した言葉です。単なる「うつくし」より、もう少し話し手（見る側）の思い入れが強く感じられ、心がひかれていとおしいという意が含まれています。紫式部は、光源氏の美しさを表現するのにこの言葉をよく用いています。高山樗牛《ちょぎゅう》も小説『滝口入道』の中で、恋人横笛の舞姿を「閑雅に臈長けて見えにけり」といい、加藤道夫も戯曲『なよたけ』の中で、なよたけの美しさを「臈長けた」と表現しています

気品あふれる美しさを表すこの言葉は、女性への最高の讃辞ですね。

衣通姫

そとおりひめ

金星《ヴィーナス》が西の空に瞬く夕刻
彼女は誰かを待っていた
涼風《すずかぜ》が髪を揺らして覗《のぞ》いた首筋
白く　白く　透き通るその肌に
いったい誰が触れるのだろう
手の届かない　宵の明星
嫉妬もできずに　ただ立ちすくむ

古代史で、最大級の美貌《びぼう》を持つ姫

『古事記』『日本書紀』に登場する伝説の姫ですが、その美貌は匂《にお》うばかり。美しい肌の色が衣を通して照り輝いていたので、人々はこの姫を讃《たた》えて「衣通姫」と呼びました。なんとも美しい名前で、「小町」のように気軽には使えない気がします。

『古事記』では姫は允恭《いんぎょう》天皇の皇女、軽大娘皇女《かるのおおいらつめ》であるとされます。同母兄木梨軽皇子《きなしのかるのみこ》と恋に落ち、木梨軽皇子が失脚後は、流刑《るけい》地の伊予《いよ》まで後を追って、最後は二人で心中します。

一方『日本書紀』では、允恭天皇の皇后の妹、八田王女《やたのおおじょ》であるといわれ、その美しさゆえに天皇の寵愛《ちょうあい》を受け、皇后の嫉妬《しっと》を恐れた天皇は姫を河内《かわち》に移り住まわせ、はるばる通います。後世には、なぜか紀伊・和歌の浦の、玉津島《たまつしま》神社に祀《まつ》られている玉津島姫と同一人物とされ、和歌三神の一人として祀られました。最大級の美女となると、さまざまな伝説が生まれるのでしょう。

たおやか

もっともらしい方便であふれた世界に
きみはただ　静かな微笑で立ち向かう
しなやかな　その聡明は白い百合
自らの咲く場所を知る　大輪の百合

しなやか、しとやかで優美な姿

姿かたち、物腰などがやわらかく、しとやかで、優美なさまをいいます。また気立てや性質が、しっとりと優しく、おだやかな場合にも使います。「この女の舞ふ姿たをやかにして楊柳の風の吹きかへすやうなるぞ」「布衣たおやかに着こなし」というように、特に男性から見た女性の理想の姿といえるかもしれません。

百花繚乱《ひゃっかりょうらん》の『源氏物語』の女たちの中で、「なんとこの人はたおやかなのだろう」という表現をされているのは、「帚木《ははきぎ》」の中の空蝉《うつせみ》の姿です。どんな女性か、ぜひ読んで納得してみてください。

粋《いき》

「いままでありがとう」と差し出した手を
あなたは優しくやわらかく　握り返した
紆余曲折《うよきょくせつ》の恋の果て
そんなところが　好きだったのに

しゃれた気風、色気のある様子

「いき」は、江戸時代に生まれた独特のエスプリ（精神・美的理念）を示す言葉。意気、粋、通、張りなどの要素をすべて含む、なかなか深い言葉です。まずは気風、容姿、身なりがさっぱりと洗練されていて、しゃれた色気のある、あかぬけした「雅《みやび》」をいいます。次に人情に通じて、物わかりのいいことも「いき」の要素。「いきなはからい」などという用い方をします。また色ごと全般、遊里、遊興に精通していることも「いき」といいます。「いき筋」「いきな話の一つや二つ」などといいますね。いずれにしても「かっこいい大人」であることは間違いありません。

婀娜《あだ》っぽい

あだっぽい

切れ長の瞳《ひとみ》を細めて
するり　するりと　お酒を飲むきみ
だんだんと上気していく頬《ほお》の色香が
ぼくの心に微熱を宿す

女がなまめかしく色っぽいこと

女性の美しさの中でも、色っぽさ、なまめかしさが際立っている場合に「婀娜っぽい」という言い方をします。たとえば湯上がりのほつれ髪の女。谷崎潤一郎も、「あだっぽい姿をした湯上がりの芸者」という表現をしています。流行歌『お富さん』に、「あだな姿の……」とありましたが、これも「婀娜っぽい」姿です。

一般には、成熟した女性の持つ粋《いき》で熟れた美しさのイメージがあります。池波正太郎や藤沢周平の作品にも、ときどきこうした女性が登場して、キラリと光るいい味を出しています。

4

秋の章

秋麗

あきうらら

真っ白な紙ヒコーキが
青い空を飛んでゆく
誰かが残した　夏の痛みを乗せて
やがてそれは痛みを癒し
別の誰かの足元へ降り立つだろう
新たな夢への　希望とともに

ふと外に出たくなるような秋の日

かっと照りつく夏の太陽が、日めくりのカレンダーを破るたびに弱まっていく。やがて、日差しが優しくなり、吹く風も涼やかになって、そぞろ歩きも気持ちのいい季節になります。「秋麗」は秋のおだやかに晴れ渡った、さわやかな日を表す言葉です。

「♪春のうららの隅田川《すみだがわ》」という歌にもあるように、「麗か」は、麗しく暖かい春の日差しをさしますが、その春のうららかさを秋にも感じ取ったのが「秋麗」です。でも、なぜか秋という言葉がつくと少し印象が変わってきますね。日々暖かくなる陽気に心躍るのが春なら、きびしい暑さから解放されて一息つくのが秋。やがて空気が冷たくなり、木々も葉を落とし、寒さも募ってきます。冬になる前のさわやかな青空の下で、気持ちのいい時間を思い切り楽しみましょう。

秋の七草

あきのななくさ

ススキのざわめく小径《こみち》を抜けて
ふらり歩く　鎌倉
民家の庭に薄紫の藤袴《ふじばかま》
なんだか　きみに似ているね

万葉のころから愛されてきた花たち

春の七草はいえても、では秋の七草は？　と聞かれて答えられない人も多いかもしれませんね。でも、一つ一つの花は誰でも知っているものです。万葉時代の歌人山上憶良《やまのうえのおくら》が詠んだ歌「萩《はぎ》、尾花《おばな》、葛花《くずばな》、撫子《なでしこ》の花、女郎花《おみなえし》、また藤袴《ふじばかま》、朝顔の花」を元に知られる秋の七草。「尾花」はススキの別名、「朝顔」は桔梗《ききょう》のことですから、現代でも野や山、あるいはそのへんの道端でもよく見かける花ばかりです。派手な花は一つもありませんが、その可憐《かれん》さ、はかなげな風情が昔から歌人、俳人、文人に愛され、人口に膾炙《かいしゃ》されてきたのです。

竜田姫

たつたひめ

車窓を流れる木々を背にして
彼女は本を読んでいた
賢そうな白い額に　一陣の風
知らずに心が　茜《あかね》に染まる

秋の彩りを身にまとう姫君

四季の移り変わりの美しさを愛《め》でる心は、今も昔も変わりません。古《いにしえ》の日本人は、秋の美しさを「竜田姫」という女神になぞらえて讃《たた》えました。古代中国の陰陽《いんよう》五行《ごぎょう》という思想では、東は春、西が秋となっています。この思想が伝わった日本の都・大和の国では、東の佐保山《さほやま》が春の女神の佐保姫、西の竜田山《たつたやま》が秋の女神の竜田姫とされたのです。

春をつかさどる佐保姫は野山を花で埋め尽くし、秋をつかさどる竜田姫は紅葉となって山や里を彩ります。黄色や赤にと、秋が深まるにつれて色づいた葉は、「竜田姫」が染め上げた彼女の衣といわれています。

今朝の秋

けさのあき

海を滑るサーファーの背を
朝の太陽が照らしている
波間に落ちる飛沫《ひまつ》の色に
秋の気配をかすかに映して

立秋の朝のかそけき爽《さわ》やかさ

「今朝の秋」とは立秋の日の朝のことです。今の暦では八月八日ごろにあたります。一番暑いころなのでなかなか実感が伴わないのですが、炎暑のさなか、ひと吹きの風に秋を感じ取るのは、日本人独特の生活感情の豊かさといえるでしょう。

秋来ぬと目にはさやかに見えねども風の音にぞ驚かれぬる　藤原《ふじわらの》敏行《としゆき》

という『古今和歌集』の歌が、その心を言い表して余りあります。立秋の日の朝、なんとなく爽やかな目覚めとともに秋を感じ取る。感受性の豊かさを表す言葉の代表かもしれません。

水澄む
みずすむ

水澄む川の岩間を行き交う
魚たちがきらめく真昼
はるか宇宙《そら》から眺めたときの
瑠璃《るり》の光を鱗《うろこ》に宿して

空も水も澄み切って冷たくなる季節

朝、手や顔を洗おうとして、水道の蛇口から出る水の温度に季節を感じることは多いでしょう。特に秋から冬にかけて日一日と水が冷たくなっていくのは、しみじみと季節の移ろいを感じるものです。

秋は、湖や川など水底が透けて見えるほど澄み切って、冷ややかに美しく感じます。それを「水澄む」と表現します。

秋の澄んだ美しさを表現する言葉として、「天高し」もよく使われますね。遠くの山までがくっきりと見えるような、青く澄んだ空が思い浮かびます。

花野

はなの

毎年　秋になると
きみとよく　ここへ来たよね
花野を揺らす風に吹かれて
ぼくたちの未来について思いを馳《は》せた
いまはもう　想い出を
数えることしか　できないけれど

華やかさより憂《うれ》いのまさる秋の野

秋の草花が咲き乱れる野原を「花野」といいます。「花」一文字は春の季語ですが、「野」がつくと秋となり、言葉のイメージも変わります。

秋の草花といえば、萩《はぎ》、葛《くず》、撫子《なでしこ》、野菊《のぎく》、桔梗《ききょう》、吾亦紅《われもこう》、女郎花《おみなえし》など、春の花にくらべて色もはかなく、もの寂しい風情の花が多くなります。春の野が目に鮮やかなうららかさで思い浮かべられるのに対し、「花野」は華やいでいるというよりはどこか寂しげなしみじみとした風情があるのもそのせいでしょう。

なにとなく君にまたるるここちして出し花野の夕月夜かな

明治時代の女流歌人与謝野晶子《よさのあきこ》はこんな美しい恋の歌を詠みました。なんとなく恋人の面影を思って胸が騒ぐ秋の夜。心のままにさまよい歩く花野の美しさと、空にかかる月の光。幻想的で心に染み入るような情景です。

星合

ほしあい

銀河から滑り落ちた流れ星
あれは　誰かの涙でしょうか
逢瀬《おうせ》を果たした織姫の
嬉《うれ》しく切ない　涙でしょうか

年に一度の星たちの逢瀬

旧暦七月七日の七夕は、天の川に隔てられた恋人である牽牛《けんぎゅう》と織女《しょくじょ》が、年に一度逢う日とされています。現在の暦では夏の行事のように思われますが、星が美しく見えるのは秋、この言葉も秋の季語です。二つの星が会う日なので「星合」という美しい言葉が生まれました。「星祭」ともいわれています。

奈良時代から続く祭りですが、江戸時代には盥《たらい》に水を張って映る星を眺めるという趣向を凝らし、現在では願い事を書いた短冊を軒に吊るしたり、笹に下げたりして、二人の幸せな逢瀬を祈ります。

添水《そうず》

添水の音がカコンと響く
銀の波紋がしんと広がる
きみの言葉もそんな風だよ
ぼくを正して　強くするんだ

響き渡る軽やかな竹の音

「添水」は山や畑を荒らしにくる鳥や獣を追うために、谷水に仕掛けて音を出しておどすもの。鹿威《ししおど》しの一種で、庭の遣《や》り水に仕掛けて音を楽しむ観賞用もあります。切った竹の一方に水を流し、一定量の水がたまるとその重みで竹は傾いて、水が流れ出し、その反動ではね返る、それを利用してのなかなか粋《いき》な仕掛けです。

平安時代初期、玄賓僧都《げんぴんそうず》という僧侶がいました。玄賓は徳高く、天皇に重用されましたが、権力の座を捨てて農民のために力を尽くしました。この鹿威しを「添水」というのは、彼をしのんでつけた名といわれます。

灯火親しむ《とうかしたしむ》

ベッドサイドランプの灯りが
物語の終末を静かに照らす
そのひとの　その台詞《ひとこと》が
わたしの心に灯りをともす

灯のやわらかいぬくもりも楽しむ

「読書の秋」とはよくいったもの。秋の夜長を楽しむには、部屋でゆったりと、いつもより長い小説を読んでみるのも楽しいものです。読書の楽しみは今も昔も変わりません。灯をともして読書にふけることを「灯火親しむ」といいます。

現代の生活は、部屋をくまなく照らす蛍光灯になじんでいます。でも、本を読むときは蛍光灯を消して、白熱灯のやわらかい、目に優しい明かりの下で、ゆっくりページを繰ってみませんか。より「灯火親しむ」という雰囲気に近づくこと間違いありません。

秋思《しゅうし》

カサリ　乾いた音をたてる
落ち葉の赤い絨毯《じゅうたん》
それは　夏に終わった恋の
抜け殻たちのレクイエム

物思いにふける季節

何も考えられないような暑い夏の反動からか、秋は昔から思索にふける季節だと思われてきました。「秋思」はそんな秋の、ものの哀れを感じさせる言葉です。

頬杖《ほおづえ》に深き秋思の観世音　高橋淡路女《たかはしあわじじょ》

観音様の頬杖をついたポーズが、愁いを帯びて思索しているように見える、という意味の句です。仏像に刻まれた静かな面持ちに「秋思」はぴったりですね。日に日に寒々しくなる季節が秋。乾いた空気のなかでは誰もがメランコリックな気持ちになってしまうのかもしれません。

虫時雨

むししぐれ

声はどこから聴こえるだろう
彼らは何を告げるだろう
命を育む小さな茂みを
木霊《こだま》が見守る　秋の夕暮れ
ただ　生きてさえいればいい
誰かの言葉が　遠くで響く

鈴虫、松虫、蟋蟀《こおろぎ》の声入り混じって

そこはかとなく秋を感じるようになると、蝉の声と交代するように、日が落ちた後の暗い道で虫の声を聞くようになります。そんな虫たちが盛大に秋の歌を歌っている様子を「虫時雨」といいます。「時雨」とは初冬に降る雨のこと。さっと降ってはやみ降ってはやみという時雨のように虫の声が聞こえることから、こんな言葉が生まれたのでしょう。

鳴く虫といえば、鈴虫や松虫、蟋蟀やくつわむしなどが代表格。かの清少納言も『枕草子《まくらのそうし》』のなかで名前を挙げていますし、『源氏物語』にも「鈴虫」というタイトルの章があり、ヒロインが鈴虫の声に聞き入るシーンがあります。静かな秋の夜、聞こえてくるのは、部屋の明かりに使う油が燃える音だけ。そんな平安朝の時代には、小さな虫たちの合唱も、今以上に美しく聞こえていたに違いありません。

小鳥来る

ことりくる

早朝のベランダで　空を見つめる白い猫
視線の先の見慣れぬ小鳥に首を傾げて
花鶏《あとり》だね　今年は少し早めに来たね
キンモクセイが　まだ香ってる

北からやってくるお客様たち

秋の渡り鳥といえば、何を思い浮かべるでしょう。白鳥、鶴《つる》、雁《かり》などよく知られている渡り鳥は、比較的体が大きく目立ちやすいので、それだけで季節を感じさせます。ですが、秋は鶫《つぐみ》や花鶏《あとり》、山雀《やまがら》、四十雀《しじゅうから》といった小さな鳥たちも、空を覆《おお》うほどの仲間を連れて日本へ訪れます。小さな鳥たちが渡ってくる季節という意味を込めて「小鳥来る」というかわいらしい秋の言葉が生まれました。

小鳥たちは冬を越せばまた異国へ旅立ちます。寒いひとときを過ごすためにやって来た小鳥たちを見守る温かさの感じられる言葉です。

秋扇《あきおうぎ》

ふっと　あなたを思い出して
思い出したということに少し驚く
もうひとときも離れられないと
思った頃も　あったのに

部屋の片隅に忘れられる扇

クーラーも扇風機もない時代、夏に涼をとるためには団扇《うちわ》や扇を使うのが一般的でした。夏の間は重宝がられ、大事に使われていたのに、団扇も扇も秋がくれば不用の物になってしまいます。「秋扇」とは秋になっていらなくなった扇のこと。そこから、「秋扇」には恋人の思いがさめてしまったこともさすようになりました。

恋が燃え上がっているときは毎日のように会っていたのに、時がたつにつれて会うことも間遠になってしまう。恋愛には時としてこんな結末も待っています。

十六夜《いざよい》

自分に欠けているものを
きみはいつも嘆くけれど
完璧《かんぺき》な人間なんてどこにもいない
ごらん　十六夜の月が綺麗だよ
欠けているから　いいんだよ

十五夜に遅れた名月

満月の翌日、十六日に出る月を「十六夜」といいます。「ためらう」「進もうとも留まろうともしきれないでふらふらとする」という意味の「いざよう」という言葉が元になった月。これは、空を見上げたときにほのかに欠けた月の形に、満月の前なのか後なのか判断がためらわれるからということと、十五夜よりも遅い時間にためらいがちに昇ってくる月だからということ、二つの意味を併せ持つ言葉として使われてきました。

現在よりも夜がはるかに暗い時代。月や星の明かりで人々は外を歩き、歌や楽器の遊びを楽しみました。特に満月とその前後の月は皓々《こうこう》と明るく美しく空を照らしていました。

昔の人々にとっては、空を見上げて、月や星の美しさを愛《め》でることは何よりの喜びだったのでしょう。月で暦をつくり、詩や歌をつくり、月は生活のごく身近に存在していました。

待宵

まつよい

東の空に浮かぶ火星が
月を見上げて瞬いている
凛《りん》と優雅の妖艶《ようえん》を
妬《ねた》むような　赤い光で

名月を待ちこがれる前夜

旧暦八月十五日は一年で最も美しい月が見られる夜。この夜に出る月は、中秋の名月といわれて、愛されてきました。「待宵」はその十五夜の前夜、八月十四日の夜のことです。

名月の前夜、空には限りなく満月に近い月がかかります。明日も、こんなふうに晴れればいい。今夜のように美しい月が見られるといい。そんな願いを込めて名月を待つ夜を過ごしたのでしょうか。明日は雨かもしれないという心配も含まれていたでしょう。その思いが「待宵」という美しい言葉を生みました。

立待月《たちまちづき》

出遅れた　ぼくの役目は
後ろ姿を見守ること
きみと誰かのこれからを
遠くで静かに祈ること

十六夜よりさらに遅れての登場

十五夜が過ぎて二日、旧暦八月十七日の月は「立待月」と言い習わします。十五夜よりも少し月の出が遅くなるため、「立って待っていると出てくる月」という意味でつけられたのです。

旧暦の月の名前は、ほかにも居待月《いまちづき》、寝待月《ねまちづき》、更待月《ふけまちづき》といった呼び方があります。それぞれ、十八日、十九日、二十日の月のことです。日が進むにつれて月の出が遅くなり、座って待ち、寝て待ち、夜更けまで待ちしないと月が見られないということです。月を眺めることが生活の一部になっていることを感じさせるネーミングですね。

雨月《うげつ》

胸がざわざわする日の空は
グレイと紺のマーブル模様
だから　あなたに早く逢《あ》いたい
心に闇が広がる前に

名月を隠す無情の雨

八月十五夜の夜。この日の月を楽しみにしていたのに、夕方から雲行きが怪しく、やがて雨が降り出してしまった。せっかくの名月が雨で見ることができないのを「雨月」といいます。あるいは分厚い雲に邪魔されて見られないのを「無月《むげつ》」ともいいます。

こんな言葉を生み出すほど、昔の人の生活に月は深く関わっていました。平安時代の貴族社会では、男性が女性のもとへ訪れる「通い婚」が一般的でした。夫や恋人の訪れを待つ女性は、待つ間幾度も外の月を見上げてため息をついたのではないでしょうか。

月の客

つきのきゃく

十三夜の　その広場には
この世で一番美しい生き物が集まるという
けれど　それを見た者はない
知らずに現れ　知らずに消える

月見の宴《うたげ》を楽しむ仲間

月見というと、現在ではススキを活け、栗や芋や月見団子などを供える地味な行事に思われますが、本来は名月を親しい仲間で愛《め》でたものでした。月見の宴に集うためにやって来た人を「月の客」または「月の友」と呼びます。まるで月からの客のように美しい響きです。

ちなみに、八月の十五夜は広く知られていますが、同じほど美しいとされているのが九月の十三夜です。十五夜と十三夜は同じメンバーで月見をするものとされていて、どちらか片方だけの月見は、片見月といって縁起が悪いとされていました。

星月夜

ほしづきよ

きみの驚く顔が見たくて
ネオンの街から2時間半
真っ暗な山道のドライブを
きみは少し怖がったけど
エンジンを切ればそこには　本物の夜
本物の星空に　手が届くから

星の光で月夜のように明るい

空気が澄んでいる秋は、月だけでなく星も美しい輝きを見せる季節です。星々の光が月の光のように輝く夜を「星月夜」といいます。

秋の星座で有名なのは、ペルセウス座、アンドロメダ座、五角形のケフェウス座、Wの形をしているカシオペア座、そして少しゆがんだ大きな四角形で有名なペガサス座などが挙げられます。これらの星が空で輝く様子を、昔の人々も見上げていたのでしょう。

大仏で有名な鎌倉には、「星月夜の井」という井戸があります。鎌倉十井の一つに数えられた、水のきれいな井戸でした。昔、その井戸の周辺はとても暗い場所で、井戸を覗《のぞ》き込むと昼間でも星が映って見えた、という由来があります。この井戸のせいか、「星月夜」は鎌倉にかかる枕詞《まくらことば》にもなりました。

赤のまま

あかのまま

深緑《ふかみどり》のワンピースに
真っ赤なショートカーディガン
曇り空とのコントラストに
目を奪われる　午後3時

女の子におなじみの花

秋の野原や道端でいくらでも見かけることのできる、丈の低い、赤い粒々の花をつけた草、これが「赤のまま」です。正しくは犬蓼《いぬたで》といいます。

赤い花をこそぎ取るとまるでお赤飯のようなので、昔から子供たちはおままごとで遊ぶとき、この粒々をおもちゃの茶碗に盛ったり、食べるまねをして遊びました。そこからお赤飯の別称「赤まんま」「赤のまま」という呼び名がついたのですが、このかわいい名前のおかげで、誰にでも知られる花になりました。

同じ仲間で、白い花もあります。こちらは「白まんま」といいます。

紫式部

むらさきしきぶ

紫苑《しおん》の色のスカーフを
好んで巻いていた祖母は
歳を取るほどたおやかになるひとだった
最期の日まで　ルージュをひいて

作家の名前をつけられた木

「紫式部」とは、秋になると紫の実が房状に垂れ下がる小さな木です。庭などによく植えられていて、枯れていく草木が多い中、鮮やかな色で目を楽しませてくれます。見事な紫色に熟す実のせいでこの名が冠されたのですが、それもあってか、紫式部の家があったといわれる京都の廬山寺《ろざんじ》には、紫式部の木が植えられた庭園が造られています。

英語名は『ジャパニーズ・ビューティー・ベリー』。日本の美しい実という意味ですが、それは、この木の仲間のうちでも、とりわけ日本産のものが美しいからかもしれません。

コスモス

傷つけ合うばかりの恋に区切りをつけた帰り道
雨上がりの遊歩道に秋桜《コスモス》が揺れていた
優しく可憐《かれん》に　でもしたたかに
わたしも強くなれるだろうか
大事なものを抱きしめすぎない
強さを心に　持てるだろうか

和名は可憐な「秋桜」

校庭で、近所の公園で、そこらの空き地や川原で、多少荒れた土地でも丈夫に育つため、よく植えられているのがコスモス。田舎道を歩いていると、コスモスが風に揺れて、なんともいえない日本の旅情を感じるものです。

ただし、日本での歴史は浅く、明治時代に日本に渡ってきたメキシコ生まれの花です。秋になると咲き乱れるほのかなピンクや白の可憐な花に、明治時代の人々は心を奪われたのでしょう。「秋桜」という名前をつけました。

心中をせんと泣けるや雨の日の
白きこすもす紅きこすもす　与謝野晶子

コスモスは雨に打たれると濡《ぬ》れそぼってうなだれたようになります。心中をしようと思いつめて泣きじゃくる人の心に寄り添ってともに泣き濡れているような、雨のコスモスです。

爽籟

そうらい

人気《ひとけ》の途絶えた軽井沢の
午後の林を吹き抜ける風
シャラリ　緑の梢《こずえ》の影に
小さな栗鼠《りす》が見え隠れする

爽《さわ》やかに吹き渡る風の音

夏の湿気の多い南の風とは違い、秋の乾いた風は肌に心地よく、竹の梢や木々の枝を渡る風の音も爽やかに響きます。そんな秋風の響きを「爽籟」といいます。「籟」とはもともと穴の三つある笛のことで、その穴から発する響きをいい、そこから風の吹き通る音をさすようになりました。「松籟《しょうらい》」という言葉もありますが、これは高い松の梢を吹き抜けてゆく風を意味します。「爽籟」も「松籟」もむずかしい漢語ですが、それがかえって格調の高い趣を添えています。

菊日和

きくびより

あなたが眠る石碑の前には
たくさんの　たくさんの　愛が集まる
天高く　雲ひとつない秋の空
あなたもそんなひとだった

秋の日が菊に照り輝く

一面の菊に秋の日がうらうらと輝いて、菊の香が漂ってくる……。「菊日和」という言葉からは、おだやかで物静かな心地よさを感じます。

菊は平安時代に中国から渡来しましたが、当時は薬用で、菊に宿る露を飲むと長寿を保つ、菊を干して枕《まくら》に詰めた「菊枕」は頭痛を治す、九月九日の重陽《ちょうよう》の節句には菊の花びらを浮かべた「菊酒」を飲み干して長寿を願う、などの風習がありました。江戸時代になって観賞用になり、百菊といわれるほど多くの品種が生まれましたが、薬用だったころの菊の利用の仕方はなんとも風流だったと思いませんか。

野山の錦《のやまのにしき》

きみから届いた手紙の文字は
鳶《とび》の翼のつややかな色
何気ない言葉を綴《つづ》る便箋《びんせん》に
楓《かえで》の葉を1枚　挟んで
そっちは今年も紅葉なんだね
その優しさも　変わってないね

赤や黄の錦の衣をまとった野山

秋も半ばを過ぎると、木々の葉の色が緑から燃えるような赤や黄に変わってきます。秋の紅葉は昔から、春の桜と同じくらい待ちわびられる存在でした。したがって紅葉《もみじ》をさす言葉も多く、この「野山の錦」もそうですが、うっすらと色づいてきたのは「薄紅葉《うすもみじ》」、夕方のもやの中にかすむのは「夕紅葉《ゆうもみじ》」、照り映えているのを「照葉《てりは》」、銀杏《いちょう》などが黄色くなるのを「黄葉《もみじ》」、ほかにも「山紅葉」「谷紅葉」「庭紅葉」、樹木の名を入れて「柿紅葉」「桜紅葉」「蔦紅葉《つたもみじ》」などなど。

また、山が紅葉に彩られることを「山粧う《やまよそお》」といいます。秋の一時期、燃えるような赤や黄色の錦の衣をまとった山を見ると、まるで山が自分を美しく粧っているかのようだという意味で、宋《そう》代の画人郭熙《かくき》の『山水訓《さんすいくん》』にある「秋山明浄にして粧ふがごとし」からきた言葉です。

草紅葉

くさもみじ

別れ際にきみが見せた表情は
ぼくの知る　どんな顔とも違っていた
淡々とした哀しみが　金色の光を放つ
それは　去ってゆくものだけが持てる輝き

野に広がる紅葉

秋も深まると、山の木々の紅葉が野や里に下りてきます。同じころ、田の土手や畦《あぜ》などの草もいっせいに色づいて、靴で踏むのが惜しいほど美しくなります。それが「草紅葉」。「草の錦」ともいわれます。

でも、その美しさもほんのひとときで、霜が降りるととたんに枯れてみすぼらしくなってしまうのが草紅葉のはかなさでしょう。

紅葉する草の中でもほうき草は変わっていて、夏は緑色の細い茎が秋になると濃いピンクになります。名前のとおり、茎は乾かして箒《ほうき》にし、実は「とんぶり」といって、畑のキャビアといわれるほどおいしいものです。

行く秋《ゆくあき》

買ったばかりのウールのコートが
クローゼットでじっと出番を待っている
「早く着たいな」「でも、もう少し」
心うらはら　一日延ばし

去り行く秋を惜しむ

紅葉の美しい季節が過ぎると、風も冷たくなり、空気が乾いていきます。冬に入る前の自然の静けさ。木々は落葉を始め、野の花は色を失っていく。その凋落《ちょうらく》をとめるすべはありません。そんな思いを言葉にしたのが「行く秋」です。春と秋は美しく心地よい季節なので、その季節が行ってしまう、少しでも引き止めておきたいという名残惜しさ、詠嘆がこもっています。秋を惜しむ言葉はほかにも、「秋の別れ」「秋の名残」「秋の行方」など。いずれも美しくて寂しい感じの言葉です。

行く秋や秘仏は紅をさし給ふ　原田《はらだ》　青児《せいじ》

行合の空

ゆきあいのそら

きみとの出逢《であ》いは
洗いざらしのジーンズに
おろしたての白シャツを
合わせたときのような気分だった
初恋にはしゃぐほど若くもないけど
まっさらな気持ちが　確かに
そこにはあって

暑さの中に秋が入り混じった気配

　むしむしとした暑さが続く夏の終わり、夕方外に出ると、今までとは違った風が吹き抜けていくことを感じたりはしないでしょうか。あるいは、ぎらぎらと照りつけていた太陽も、ふと気づくと日差しが弱まっているのを感じたりしませんか。そんな暑さと涼しさが入り混じった空模様を「行合の空」といいます。

　夏から秋へ、秋から冬へ、ある日を境に気候が変わるなんていうことはありません。季節は次に巡る季節と入り混じりながら変わっていくもの。夏から秋にかけての「行合の空」も季節の変わり目の一つです。見上げれば、夏の入道雲に代わって、鰯雲が浮かんでいるかもしれません。ときには空でも見上げて「行合の空」に思いを馳《は》せてみましょう。これから来る秋をより実感できるに違いありません。

茜雲

あかねぐも

夕暮れ　オレンジに染まるビル
きみを乗せたエレベーターはどこまで昇る
ぼくの想いは　どこまで募る

空が最も美しくなるとき

朝焼けや夕焼けの、赤く染まった雲のことです。茜雲はいつも美しいものですが、秋の夕暮れは寂しさも募って、格別美しく目に映るような気がします。特別な言葉としては「初茜《はつあかね》」があります。これは、元旦の太陽が昇る直前、東の空が赤くなることで、雲があれば「初茜雲」ということになるわけですね。

「茜」は、茜草の根から採った染料の色で、やや暗めの赤のこと。赤とんぼは「アキアカネ」といいますし、「茜さす」といえば、茜色に照り映えるという意味で、「日」「昼」「君」「紫」などにかかる枕詞《まくらことば》になっています。

鰯雲

いわしぐも

コバルトブルーの翼を広げたカワセミが
空一面の鰯雲を見上げて鳴いた
釣り人たちには解けない暗号
天からのメッセージを受け取って

明るい空に浮かぶ雲

「鰯雲」とは綿のような白雲が波や鱗《うろこ》のように並んで見える雲。鯖《さば》の背中のような斑点《はんてん》ということから「鯖雲《さばぐも》」、細かな鱗のような形から「鱗雲《うろこぐも》」とも呼ばれるこの雲は、夏から秋にかけて見られる巻積雲《けんせきうん》の一種です。漁師たちの間では、この雲が現れるときは鰯の豊漁が望めるということで、この名前がついたといわれます。

鰯雲人に告ぐべきことならず　加藤《かとう》　楸邨《しゅうそん》

秋の雲に託して心の中に大切な思いをしまっている、そんな心象風景でしょう。

野分

のわき

ガタガタと窓を揺さぶる風の音に
なぜだか少しはしゃぐ　きみ
女心と秋の空
その不可解さも魅力だね

野の草を分けるほど激しい風

野の草を吹き分けるという意味で、秋の突風を「野分」といいます。雨を伴わない台風の激しい風のことをさす言葉です。

『源氏物語』にも「野分」という一帖《いちじょう》があります。この章の野分はとりわけ凄《すさ》まじく、主人公・光源氏は、恋人たちのもとへ様子見舞いに訪れます。ある女性は吹き乱された秋の花の様子を嘆き、ある女性はその風情を哀れに思いながら琴を弾き、ある女性は急に寒くなったといって冬の衣の仕度という実際的な仕事をしています。それぞれの女性の特徴が美しく描かれた印象的な一帖です。

芋嵐

いもあらし

心のなかを吹き荒れるのは
追い風　それとも向かい風
地図を持たない旅の岐路で
誰もが迷い　立ちすくむ

芋の葉も吹きちぎる突風

秋は大陸からの季節風が吹き始める季節で、強く吹く風にはいろいろな名前がつけられていますが、中でも「芋嵐」とはおもしろいネーミングです。

ここでいう「芋」は里芋のことです。里芋は葉が大きく、茎が長いため、わずかの風にも激しく揺れ、強い風が吹くと破れたり、吹き倒されてしまいます。同じく「黍嵐《きびあらし》」という言葉もあります。重い穂を実らせている黍《きび》（とうもろこし）も強い風に倒れやすく、風の通り道のように吹き倒されている光景をよく見かけます。こんなふうに、吹かれる植物で表現する風の名前は、イメージが浮かびやすく、その強さも実感できますね。

秋霖《しゅうりん》

窓を叩く雨の音が
休息の時を告げている
こんな日は　部屋でひとり
冷えた心をあたためよう
けだるい午後の　フジ子ヘミング
自分のために紅茶をいれて

もの寂しさを感じる秋の長雨

九月中旬から十月中旬にかけて、秋の長雨の季節がやってきます。冷たい雨がしとしとと降り続きます。せっかく秋晴れの気持ちよい日々を期待していたのに、朝起きても雨音が聞こえると憂鬱《ゆううつ》になってしまいますね。でも、こんな秋の長雨には「秋霖」という美しい呼び名がついているのです。

「霖」という言葉自体に、長く降る雨という意味が込められています。春の長雨は「春霖」といいますが、「菜種梅雨」という言葉のほうが有名でしょう。「春霖」にくらべると、「秋霖」はどこかうそ寒く、もの寂しい語感を感じるのは、やはり秋という季節のせいでしょうか。

こんな肌寒く、物憂《ものう》い日には、暖かい部屋でゆっくり読書をしたり、手紙を書いて過ごすのも悪くないものです。好きな音楽を聞きながら……。

稲妻《いなづま》

稲妻に打たれたように始まる恋は
刹那《せつな》の炎に身を焦がす恋
なのに　なぜ
恋人たちは永遠を信じてしまう

空を裂く鋭い光

秋になって、遠い空を眺めていると、あちこちに鋭く光る稲光を見ることがあります。あるいは、一天にわかにかき曇り、夕暮れかと思うほど暗くなった窓の外を見ると、突然裂くような光が走り、雷鳴が鳴り響いて、思わず立ちすくんでしまうことも。

稲妻は空中の放電現象ですが、そんな知識のなかった昔は、農家の間ではこの光で稲が孕《はら》んで豊作になるといわれ、そこから「稲夫《いなづま》」、それが江戸時代に「稲妻」と書かれるようになったそうです。神秘的な自然現象を畏《おそ》れ敬う農耕民族としての日本人の心が生んだ言葉なのでしょう。

雨脚
あまあし

冷たい雨に追われるように
飛び込んだ　カフェの軒下
「だいじょうぶ、もうすぐやむよ」
先客のむく犬が　ぼくを見上げて笑ってる

雨が降っている様子

「雨脚」は現在でもよく使われる言葉です。気象予報官がテレビで「雨脚が強い」と報じたりしていますね。

雨の強さや速さを表す「雨脚」、本来は、雨がさっと通り過ぎていくことを、道を急ぐ足の速さにたとえた言葉だといいます。また、雨が長く糸を引くように地面に落ちる様子をさす言葉としても使われています。

「うきゃく」というもともとの言葉が「雨脚《あまあし》」となったのはいつごろからなのでしょう。読み方一つで雨が擬人化され、親しみ深く感じられます。

雨の手数

あめのてかず

泣きたいときは思い切り泣けばいいよ
それは浄化の雨なのだから
悲しみを洗い流して空っぽになったら
綺麗《きれい》な虹が　きっと見えるよ

草木を世話するように繁《しげ》く降る雨

前の「雨脚《あまあし》」はよく知られていますが、「雨の手数」となると知名度はぐっと下がります。「脚」に対しての「手」で、繁く降ることを「手数」。つまり雨のひどく降る様子をいう言葉ですが、なぜ「雨の手数」というようになったのでしょうか。

一説によれば、雨が草や木に手数をかけているように見えるほどまんべんなく降っているから、ということのようです。暑さに乾いた草花が、雨によって元気を取り戻し、潤っていく。その様子が、まるで雨に世話をされて復活したように見えたのかもしれません。

5

日常のさりげない言葉の章

玉響

たまゆら

見えないものをどれくらい　信じることができるだろう
どこまでいけば　理解《わか》るだろう
ぼくたちは　確かなものを探し続けて旅をする
確かなものなど　ひとつもないのに
ふと通りゆく玉響は　ぼくをどこへと誘《いざな》うだろう
どこまでいけば　理解るだろう

ほんのかすか

「かすかな」「あるかないか」「はかない」といったことをさす「玉響」は、現在ほとんど使われない言葉ですが、なんという美しい響きと文字でしょう。しかもその意味するところは、翡《ひ》翠《すい》や瑠《る》璃《り》、真珠などの美しい宝玉が触れ合って、かすかな音をたてる様子がもとになっているのです。昔の人は、宝石の見た目の美しさとともに、かすかに響くその音までも愛《め》でていたのでしょうか。現代でももっともっと使って、残していきたい言葉の筆頭かもしれません。

君が手とわが手とふれしたまゆらの
心ゆらぎは知らずやありけん　太田《おおた》　水穂《みずほ》

手が触れ合った瞬間、ほんのかすかに胸がときめく。恋の始まりにつながるかどうか、自分にもわからないような心の動きを美しく歌い上げています。

花筐

はながたみ

何気ない景色のなかで
ときおり出会う綺麗なものたち
汚《けが》れのない　その純粋を集め続けて
いつかわたしも　花になる

摘んだ花を入れる籠《かご》

『万葉集』などをひもとくと、当時の人はよく野山に花や草を摘みに行きました。摘んだ花を入れるかごを花籠、または「花筐」といいます。能に「花筐」という演目があります。昔、越《こし》の国（今の新潟県）に住む皇子が都へ行くこととなりました。別れを予感した皇子の恋人に、皇子は「必ず迎えをよこす」という約束と、自分を思い出すよすがにと「花筐」を渡します。皇子からの連絡がなくなった女性はやがて都へと上り、帝に即位したかつての恋人に「花筐」を見せ、愛を取り戻します。「花筐」に込めた思い出が二人を結びつける、とてもロマンチックな物語です

掌

たなごころ

あなたがわたしの頭をなでると
とてもくすぐったい気分になって
つい口元がゆるんでしまう
あんなにふくれていたのにね

優しく触れるもう一つの〝心〟

手のひらのことを「掌」という場合、そこには〝手の心〟という意味が含まれているといわれます。人に優しく触れたりものを受け取ったりするとき、手に心があると感じられたのでしょう。

「掌中の珠《たま》」は最も大切にしているもの、最愛の子供をさします。「掌を指す」は明白で、疑問がまったくないということ。夏目漱石の小説『こころ』の一節には「掌が翻ったように」（手のひらを返したように）という使われ方をしています。どれも、心のうちを表している言葉としての「掌」です。あらためて自分の「たなごころ」を見つめてみたくなりますね。

草枕

くさまくら

七輪の火を落とすと
あたりにシン、と闇が広がる
テントのなかは冷たくて　快適とはいえないけれど
隣に寝そべる愛犬と　眠くなるまで話をしよう
現代世紀の草枕
こんな夜も　悪くない

野宿して草を結んで枕に

『草枕』は夏目漱石の小説としてよく知られています。草を結んで枕として野宿することが「草枕」の意味。昔は旅館やホテルのような宿泊施設が整っていないため、旅人は野宿を余儀なくされることも多かったでしょう。「草の仮寝」ともいいます。また「旅」「結ぶ」「仮」「露」などの枕詞《まくらことば》にもなっています。

家にあれば笥《け》に盛る飯《いい》を草枕
旅にしあれば椎《しい》の葉に盛る　有間皇子《ありまのみこ》

飛鳥時代に生きた有間皇子は、斉明《さいめい》天皇のとき、謀反を企てた罪により、十九歳という若さで捕らわれて処刑され、非業の死を遂げました。この歌は、護送される途中の地で詠んだものといわれています。食事は椎の葉を器にし、枕は草を結ぶ。皇子という身分だったときには考えられないような今の身に、自分の悲しい運命を有間皇子は悟ったことでしょう。

玉梓

たまずさ

カリカリと言葉を綴《つづ》るペンの音を
いつまでも聴いていたい
まるで　あなたとわたしを繋《つな》ぐ
鼓動のリズムのようだから

大切な人からの手紙

メールなどにくらべると、手紙を書くのは快い緊張を強いられますね。一文字一文字にさまざまな思いを込めることができるからかもしれません。ましてや大切な人へ贈る手紙であれば、便箋《びんせん》のデザインから、文字の色、大きさなどにも心を配りたくなるというものです。

昔の人は、ほかに通信手段がなかったこともありますが、手紙をとても大切に考えていました。手紙は梓《あずさ》という木の枝に結び付けて贈る習慣があったので、「玉梓」という美しい呼び名が生まれたのです。「玉梓」とは、いかにも大切な人からの文というニュアンスが感じられる言葉ですね。

浮舟

うきふね

季節はずれの千鳥《ちどり》ヶ《が》淵《ふち》でボートに乗った
慣れない舵《かじ》に　きみははしゃいで笑うけど
ゆくあてもなく漂うだけの　その乗り物は
哀しいくらいに　ぼくらそのもの

あちらへこちらへ頼りなく揺れる

岸につながれることなく水の上に浮いている舟。「浮舟」とは、危うくどこかへ流されてしまいそうな様子を表した言葉です。

『源氏物語』の「宇治十帖《じゅうじょう》」の中に「浮舟」という一帖があります。浮舟はヒロインの名前です。薫《かおるのきみ》君という恋人に優しくおだやかに愛される日々を送っているのですが、あるとき薫の親友・匂《におうのみや》宮と出会い、はげしい求愛を受けてしまいます。どちらの男性にも心惹《ひ》かれ、あちらへこちらへと揺らぐ浮舟。やがては、どちらの愛も拒んで出家をします。はかない名前のとおりの、哀れな運命の女性です。

泡沫

うたかた

競技場のトラックを少年が駆け抜ける
瞬間、彼は一枚の絵になった

ひとはみな　輝きたいと願うけれど
誰もまた　自らが発する光を
その瞳《ひとみ》に映すことはできない

手に取ることさえできないはかなさ

池や川などの水面《みなも》に浮かぶ泡のことを「泡沫」といいます。この世のはかなさ、消えやすいものの象徴としての言葉で、鎌倉時代に鴨長明《かものちょうめい》が記した『方丈記』の冒頭、「よどみに浮かぶうたかたは、かつ消えかつ結びて久しくとどまることなし」はよく知られた一節です。

思ひ河絶えず流るる水の泡の
うたがた人にあはで消えめや　伊勢《いせ》

伊勢は平安時代の名高い女流歌人。あるとき、伊勢の昔の恋人から「あなたの行方が知れなくなってとても心配していました」という手紙が届き、返事をしました。絶えず流れる川の泡のように、あなたに会わないうちに、死んでしまいはいたしません。「泡」と「会はで」とをかけた言葉遊びと、好きな人への優しい気持ちがうまく込められた歌として有名です。

ぬばたま

幾千の電球が　通りを照らす午前2時
その街には影がない
あるのは　ただ
ネオンという名の　巨大な闇

闇の色をした草の実

「ぬばたま」は「闇」「夜」「黒」などの言葉にかかる枕詞《まくらことば》の一つです。あやめの一種の檜扇《ひおうぎ》という植物がつける果実のことで、その黒い色から、夜や闇を連想させるようになりました。

ぬばたまのこの夜な明けそ
　赤らひく朝行く君を待たば苦しいも
　　柿本人麻呂《かきのもとのひとまろ》

この歌は、人麻呂が女性の立場で朝の別れを歌ったものです。夜が明けたらあなたは行ってしまう。どうか朝よ、明けないで。「ぬばたま」という闇と「赤らひく」という暁とが美しい対照をなしています。

相生《あいおい》

きみを知らない　ぼくの過去と
ぼくを知らない　きみの過去が
いま　ひとつの未来を見つめている
川が海へと還《かえ》るように

生まれたときから死ぬまでずっと

今でも神社のご神木などに、根が一つなのに幹が二つに分かれた古木を見かけることがあります。「夫婦松《めおとまつ》」などの名前がついていることもあるでしょう。そういった育ち方をした木のことを「相生」と呼びます。もともとはともに生まれ育つという意味の「相生」でした。後に、そのことが転じて、夫婦がともに長く生きることも「相生」というようになりました。「相老い」に通じるということかもしれません。夫婦など人生のパートナーとは、一見別の人生を歩んでいるようでも、根っこのように深いところでは一つになっている。こんな関係が理想的なのかもしれません。

玲瓏

れいろう

どんな喧噪《けんそう》のなかにあっても
眉《まゆ》ひとつ　ひそめることなく
嘲笑《わら》いの色にも　悪意の色にも染まらずに
あなたは　あなたのままでいた
あなたといると　ぼくは時々　音を聴くんだ
かすかな風を知らせるときの風鈴みたいな
リン、という小さな音を

何にも侵されない美しさ

「玲瓏」という言葉には二つの意味があります。一つは、玉のように麗しく光り輝く様子。もう一つは、玉と玉が触れ合って鳴る美しい音のことをさします。

たとえば「八面玲瓏」という言葉があります。「八面」とは各方面、全ての方向という意味です。つまり、全てが清く澄み切った様子、転じて人の心の曇りがなく、わだかまりがなく、人と正しくつきあう様子を表しています。

玉階《ぎょくかい》に白露生じ　夜久しくして羅襪《らべつ》を侵《おか》す
却《しりぞ》きて水精《すいしょう》の簾《すだれ》を下ろすも　玲瓏として秋月を望む

中国の詩人・李白《りはく》の作ったこの詩（「玉階怨《ぎょくかいえん》」）は、皇帝の恋人である宮女が皇帝の心離れを憂《うれ》い、夜、一人で月を見上げながら思いにふけるという情景が描かれています。恋の切なさが、玲瓏たる月の輝きのもと、澄んだ美しさを帯びて迫ります。

赤心

せきしん

何があっても信じられる
そう思える人がいると　強くなれる
そう思える人がいると
淋《さび》しさにも　打ち勝てる

心の中でも最も尊く大切なもの

赤い心と書いて「赤心」。真心や忠節、うそ偽りのない心という意味の言葉です。中国の歴史書である『後漢書』の中に「赤心を推して人の腹中に置く」という一文が見られることから、古くから使われてきた言葉のようです。井上靖の小説『楊貴妃伝《ようきひでん》』の中で、巨漢の安禄山《あんろくざん》という人物が、玄宗《げんそう》皇帝にその体に詰まっているのは何かと問われ、「赤心ばかりにございます」と答える場面があります。「赤心」とは人の心の中でも最も尊く大切な気持ち。その思いが体中に詰まっているという返事を聞いて、皇帝はさぞかし喜んだでしょう。後にこの人物に反乱を起こされるとも知らずに。

雨風

あめかぜ

昼間はケーキで美味しい顔
夜はお酒で美味しい顔
ぼくはきみから目が離せない
美味しい顔が　一番美人

飲み会もお茶会も大好き

お酒も好きだしケーキも好物、という人がいます。甘いのも辛いのもOK。いわゆる両刀使いの人を「雨風」といいます。なんとおもしろい言葉でしょう。実は大阪を中心とした上方《かみがた》の言葉で、どうやら「雨風食堂」という使われ方をするようです。

「雨風食堂」は、甘いお菓子、ご飯、うどん、酒と、ジャンルにこだわらず何でも食べられる食堂という意味で、正確な語源についてはわかりませんが、「甘《あめ》え辛《かれ》え」が「雨風」となった、つまり駄洒落《だじゃれ》ではないかという説があるそうです。こんな食堂があったら「雨風食堂」と呼んでみましょう。

方人

かたうど

ずっときみの味方でいるよ
絶好調で飛ばしているときも
死にたいくらいに沈んでいるときも
帰ってこれる　場所でいる

運動会には「赤の方人」「白の方人」

苦しいとき、つらいとき、そばで支えて励ましてくれる仲間がいるのはとても心強いものです。そんな仲間や味方のことを「方人」といいます。

平安の昔、二つのチームに分かれて、持ち寄った絵のすばらしさを競う「絵合《えあわせ》」、どちらのチームが持ってきたあやめの根が長いかを競う「根合《ねあわせ》」、どちらがよりすばらしい歌を詠むかという「歌合《うたあわせ》」などの遊びがありました。そのときの同じチームの仲間を「方人」といったのが由来といわれます。もとは一緒にがんばる仲間をさしていたようですが、現在では一方をひいきする人のことも「方人」といいます。

6

冬の章

小春日和

こはるびより

街角に立つ道化師が
コンクリートのひだまりをステージにして
色とりどりの風船を　空へと飛ばす
ぼくの鼻が赤いのは　北風にキスされたから
聖夜のトナカイと同じだよ
それでもやっぱり太陽が　太陽が恋しくて
くるりと回転　泣き笑い

やわらかな日差しに、ほっとひと休み

冬の初めのころの、ほんわりと暖かくてのんびりとおだやかな、ちょっと春のような日差しのことを「小春日」といい、そんな気持ちのいい天気のことを「小春日和」といいます。

小春日和が訪れるのは、旧暦では十月ごろ。俳句には冬の季語として小春日和が登場しますが、それは、旧暦の冬が十月から始まっていたからです。

旧暦の十月というと、新暦の十一月から十二月にかけた時期にあたります。これから本格的に寒くなろうかという、冬本番を目前に控えたころですね。ですから、そんな時期に訪れる小春日和に、人々は心底ほっとするのです。小春日和の日差しで少しばかり心と体を温めた後、わたしたちは本格的な冬に臨みます。小春日和というのは、寒い日の外出前の一杯のホットココアのようなものなのかもしれません。

浮寝鳥

うきねどり

金色の夕陽が落ちる湖で
まどろみかけた水鳥が　ふと首を上げ一声《ひとこえ》鳴いた
しんと静まる湖面の水は　何も答えてくれないけれど
大丈夫　世界はまだそこにある
薄墨《うすずみ》に広がる夜が何もかもを隠しても
きみを包んで　そこにあるから

あてどもなくさまよう想い

冬の湖などで、雁《かり》や鴨《かも》が水面に浮かんだまま眠っている姿をご覧になったことはありませんか。水上で長い首を翼の間に入れて丸くなる水鳥たち。ずいぶんと器用な格好で眠るものです。水鳥のこうした習性を「浮寝鳥」と呼ぶのですが、彼らが水上で「浮き寝」をする様子は、のんびりしているようでいて、不安定なものにも見えてしまいます。

だから、昔の人々は、心配事を抱えて安らかに眠れない夜の自分自身を、しばしば「浮寝鳥」にたとえたものでした。和泉《いずみ》式部《しきぶ》が「水のうへにうきねをしてぞ思ひやる」と歌ったのも、恋ゆえの心配からまんじりともできずにいた夜のことです。

また、光源氏と一夜限りの関係を持ってしまった人妻の空蝉《うつせみ》は、その逢瀬《おうせ》を「浮き寝」にたとえています。平安時代の人々にとっても、不倫の恋は不安定なものであったのでしょう。

神の旅

かみのたび

出雲《いずも》のあたりの空模様が荒れている
ニンゲンどもの行いが悪すぎて
神様たちが　天で嘆いているのかな

各地の神様がいっせいに出雲へ

旧暦十月（今の暦では十一月前後）になると、日本の各地から神さまが出雲へ向けていっせいに旅立たれます。日本の神さまたちは、毎年十月に出雲の国の出雲大社で大集会を開いてきたのです。

昔、十月のことを「神無月《かんなづき》」と呼んだのは、そういう事情があるからで、反対に出雲では「神在月《かみありづき》」と呼びます。

この出雲大社へ向けた神さまたちの旅のことを「神の旅」といい、各地のお社で神様が不在になることを「神の留守」といいます。

帰り花

かえりばな

幾度かの台風が過ぎ去った公園に
山吹が　ぽつり　ぽつりと咲いていた
嵐にも負けないと　決意表明しているみたい
出番の春には　まだ遠いのに

初冬に春の花がまた咲き出す

春に咲く桜や山吹、つつじ、桃、杏《あんず》などが、初冬、小春日和のころに再び花を咲かせることがあります。ぽかぽか陽気にだまされたのか、春に花芽が十分に育たず時期遅れに咲いたのか、あるいは次の春が待ち遠しかったのか……。そんな季節はずれの花を「帰り花」または「返り花」といいます。「狂い花」とか「狂い咲き」という言い方もありますが、「帰り花」のほうが美しい言葉ですね。

ちなみに、一度は身請けされて堅気になった遊女が再び遊廓《ゆうかく》に戻ることも「返り花」といいました。この返り花には少し切ないものがあります。

月冴える

つきさえる

どこまでも冴えわたる　藍の空を
細く鋭い月が貫く　クレセント・ナイト
夜空に住まう黒豹の　その爪痕《つめあと》に
陸の獣《けもの》が遠吠えて　称賛を贈り続ける

透きとおる寒さの中の美しさ

冬の冷え冷えとして澄み切った様子を表すのに、「冴える」ほどに適切な言葉はないでしょう。この言葉からは、水晶のように透きとおって硬質な寒さが想像されます。純粋で美しくて容赦のない寒さです。そんな寒さの中で光を放つ月……。「月冴える」という言葉には、これ以上ないくらい冴え冴えとした感じがよく出ていると思いませんか。

冬の夜空の月はくっきりと見えて、それは美しいものです。ただ、寒くてあまり長く見ているわけにはいかないのが残念ですね。

寒紅

かんべに

寒さに曇る窓のガラスを指で磨いて
母の紅《べに》を差してみたころ
父の花嫁になることが夢だった
あなたは少し　父に似ている

冬の寒さが美しさを鍛える

昔、口紅は紅花の花びらから作られました。紅花の花びらをぎゅっとしぼって紅を抽出し、その紅を猪口《ちょこ》や小皿などに入れ、小指の先で唇に塗ったのです。この紅の中でも、寒中に製造された紅は品質がよく、色が鮮やかで美しかったので、特別に「寒紅」と呼ばれました。明治時代まで、寒紅が売り出されると小間物屋は女客でにぎわったということです。

紅に限らず寒の製品は優れているとされますが、きっと冬の凍《い》てつくような寒さが品質を高めるのでしょう。耐えることが美しさを作るのかもしれません。

埋火

うずみび

まぶしいほどに健全な　正午のカフェで
かつて愛したひとと会う
ふと合う瞳に　想い出の影
揺れては駄目、と頭《かぶり》を振って
強く　強く　強くならなきゃ
友達でいると　決めたのだから

灰に埋もれた小さな春

昔、囲炉裏《いろり》では、大きな切り株や太い薪を昼夜絶やさず焚《た》いていました。また、火鉢なども灰の中で炭を熾《おこ》し、その火で暖をとったり、煮炊きをしました。こんな火鉢や囲炉裏を実際に見たことのある人は、もう少なくなってしまったかもしれませんね。

こうして火を熾した囲炉裏や火鉢も、夜中や真昼の火を必要としないときは、燃えている炭や薪にたっぷりと灰をかけて覆《おお》います。その灰の上に手をかざしてみると、ほんのりと暖かいのは、灰の下には、まだまだしっかりと燃え続けている炭や薪が残っているからです。この灰に埋もれた炭火を「埋火」といい、ひそかに人に恋い焦がれているさまに見立てたりもしました。

埋火の下にこがれし時よりも
かく憎まるるをりぞわびしき　在原《ありわらの》　業平《なりひら》

虎落笛《もがりぶえ》

北風が口笛を吹き鳴らして
縦横無尽に暴れる冬の日
一緒に遊ぼう！　わんわんわん！
誘いに乗るのは　子供の犬だけ

竹を組んだ柵《さく》に当たる風の音

「虎落笛」と漢字で書くと何だかいかめしい感じのする言葉です。でも、冬の季語であるこの言葉から、かわいらしい俳句も生まれています。

虎落笛眠りに落つる子供かな　高浜　虚子

「虎落《もがり》」というのは、竹を結び合わせて組み上げた柵のこと。竹の表面はつるつるしているから、この柵ならば虎も登れません。その柵に冬の冷たく激しい風が吹き当たると、ひゅうひゅうとちょっと甲高い音がして、いかにも寒そうに聞こえてきます。それはまた笛の音のようであったので、「虎落笛」と呼ばれるようになりました。

狐火

きつねび

立ち入り禁止の森の奥から
カモーン、とぼくを呼ぶ声がする
彼らが孕《はら》む魔性の力に
惹かれる弱さを見透かすように

狐たちの深夜の会議

「狐火」は別名を「狐の提灯《ちょうちん》」ともいって、冬の夜、山野に見える怪しい灯火のこと。「鬼火」とも呼ばれます。実際は燐火《りんか》が燃える現象を、狐がその口から火を吐くものとみての言葉ですが、ちょっとゾクゾクしてくるようなネーミングですね。

「王子の狐火」も有名な話です。江戸の「王子稲荷《おうじいなり》」（現東京都北区）は近隣一帯の狐の総元締めで、毎年大晦日の夜になると、関東八州の狐たちがお互いの位を決めるために集会を開くのだそうです。そのとき、集まった狐たちの火が「王子の狐火」「狐の提灯」となったそうです。

雪の精

ゆきのせい

氷のように冷たい　その手を握ったときの
ぞくりと震える直感は何だったろう
けれど　ぼくは引き返せない
それが悲劇のプロローグでも

若い女性になって旅の男を騙《だま》す

雪の多い地方には、雪の夜には白い衣を着、白い顔をした雪の精が出るという伝説があり、これを雪女、あるいは雪女郎ともいいます。でも不思議に、話に出てくる雪女はいつも決まって若くて美しい女性です。ときには老婆の雪女もいるそうですが、やはり雪女が若くて美しくなかったら、昔話に登場する旅の男性たちも、騙されて生命を落とすようなことはなかったでしょう。

雪女旅人雪に埋れけり　正岡　子規

雪女の正体はほんとうに「雪の精」なのでしょうか。

龍の玉

りゅうのたま

枯れ草ばかりの茂みの奥で
ふいに出会った　龍の玉
それは　誰の心にもある
夢へと向かう　弾み玉

龍の秘蔵するスーパーボール

「龍の玉」というのは、龍の髭《ひげ》、あるいは蛇《じゃ》の髭と呼ばれるユリ科の植物で、初夏のころに淡い紫色の花を咲かせます。そして、晩秋から初冬のころに丸い小さな実をつけますが、熟すと、それはそれは美しい碧色《みどりいろ》になって、わたしたちの目を楽しませてくれます。

また、この実は堅くて、床の上や地面などに落とすとよく跳ね返ることから、「弾み玉」と呼ばれて、子供たちのおもちゃにもなっていました。ちょうど、わたしたちが子供のころにスーパーボールで遊んだように。覚えていますか、スーパーボール。

雪明かり

ゆきあかり

冬はもっぱらコタツに避難
そんなきみが　雪の日だけは外へ出かける
不可解を追いかけて　ぼくは気付いた
一面の真白《ましろ》な世界は巨大な工房
さえない街の風貌も　くだらない雑音も覆《おお》い隠して
すべてを1から始めることができるんだ

寒い冬にもらった光の贈り物

いつにない寒さで夜中に目を覚ますと、いつもよりずっと物静か。ふだんならときどき気になる車の音も、今夜ばかりは聞こえてこない。あたり一帯がしーんとした夜。そして、その静けさをもたらしたものは、降り積もる雪でした。

そんな雪が降った夜に目を覚ますと、カーテン越しに外の明るさに気がつきます。冬の遅い夜明けまでまだまだ間はあるのに、なぜか窓の外はうっすらと明るい。そう、その明るさをもたらすものも、真っ白い雪なのです。

夜半の雪が放つほんのりとした明るさ。それが「雪明かり」です。月の光や星の光、そんなわずかな光が積もった雪に反射してうっすらと窓の外を照らします。雪の降る寒い寒い夜中、偶然にも目覚めた人だけが楽しむことのできる、かすかな光の景色ですよね。

葛湯

くずゆ

わたしが風邪《かぜ》で寝込んでいると
あなたは葛湯を作ってくれる
母親秘伝のオリジナルレシピだぜ、って
威張りながらのエプロン姿で

冬でも温かい母親の愛情

「葛湯を練るとき、最初のうちは、さらさらして、箸《はし》に手応えがないものだ」とは、夏目漱石の『草枕』の一節です。

葛は紫紅色の花を咲かせるマメ科の植物ですが、この葛の根を粉にしたものを「葛粉」といいます。その葛粉を熱湯で溶き、砂糖を加えて練り合わせると、透きとおった、少し粘り気のあるものができあがりますが、これが「葛湯」です。体が温まって、栄養もあり、かつては冬になると子供たちもおやつや夜食によく食べたものです。何となく「お母さん」のイメージがあるのはそのせいでしょうか。なつかしい冬の風物詩です。

柚子湯

ゆずゆ

アンラッキーばかりが続く　へこんだ表情《かお》に
親友が贈ってくれた　柚子半ダース
そうだね　今日は長湯でもして
一陽来復《いちようらいふく》　仕切り直そう

香りがよく、風邪予防にもなるお風呂《ふろ》

冬至《とうじ》の日のお風呂に柚子を入れるのが「柚子湯」。「冬至風呂」ともいいます。ひび・あかぎれに効果があり、風邪の予防にもなるといわれています。五十年ほど前の本には、冬至の日の柚子湯について「どこの家庭でも、銭湯でも行っている」と書かれていて、盛んだった様子がわかりますが、現代でも、柚子湯の伝統は各家庭で守られているようですね。あの香りと、柑橘《かんきつ》系の風邪に効きそうな感じが好まれるのでしょうか。

ところで、冬至は昼間が一番短い日。この日を境にまた少しずつ日が長くなっていきます。春へのカウントダウン開始ですね。

毛糸編む《けいとあむ》

極太毛糸にジャンボ針
初心者ツールで始めてみたはいいけれど
ねじれて　もつれて　目を間違えて
ぶきっちょなのは人生だけでたくさんなのに

気長に編み上げる想い

「毛糸編む」は俳句でいうと冬の季語になります。冬の日だまりに、夜の灯の下に、昼休みのわずかな時間に、編み棒を動かすのは心の落ち着くものです。大切な誰かに手編みの何かを贈るとき、編目の一つ一つに想いを込めて編むのはさらに心が浮き立つものでしょう。そうして編み上がったものなら、きっと喜んでもらえるはず。セーターでも、マフラーでも、手袋でも、帽子でも。

時間はいくらかかってもいいのです。気長に、心を込めて、長い長い毛糸を編んでみませんか。

年惜しむ

としおしむ

行《ゆ》き合った人　行《ゆ》き過ぎた人
喧嘩《けんか》した人　握手した人
今年もまた　たくさんの贈り物を授かった
出会ったすべての人たちに　ありがとう

今年もあとわずかな日々

十二月も残すところわずかとなると、その一年が終わってしまうことが急に惜しくなりますね。今年もいろいろあったなあと、行く年を振り返り、しんみりとした気持ちになってしまいます。

この気持ち、何かに似ていませんか。そう、古い服を捨てるときの気持ちに似ているのかもしれません。もう絶対に着ない（着られない？）ことがわかっているのに、いざ捨てるとなると何だか名残惜しくなってしまう。きっぱりと古い服を捨てられないように、行く年を潔《いさぎよ》く振り捨てていくのはなかなかむずかしいことのようです。

おおつごもり

部屋の掃除を終わらせて
おせち料理をお重に詰めて
お風呂に入って　お蕎麦《そば》を食べて
大忙しで　ノルマのリストを消してゆく
最後のひとつは　あなたへ電話
「今年も色々ありがとう」「今年もどうぞよろしくね」
今日と明日《あした》の　境界線で

一年の最後の日のあわただしさ

十二月三十一日、大晦日《おおみそか》のことです。「つごもり」とは「月隠《つきごもり》」がなまったもので、陰暦では月が隠れる毎月の最後の日のこと。一年の最後の日は特別に「大」がついて、「おおつごもり」といいます。

大晦日は家じゅうがなんとなくあわただしく、子供のころは明日のお正月を楽しみにしながら、親の手伝いをすすんで引き受けたりしたものでした。でも、このあわただしさ、忙しさにはどこかしら明るさがあります。そう、それは新しい年を迎えるための忙しさだから。希望に満ちた新年のために、家じゅうをきれいにし、御節《おせち》料理を作り、身の回りをすがすがしくするための忙しさだからです。そんな大晦日の晩のあわただしさを「足を空にまどふ」と表現したのは、兼好法師《けんこうほうし》の『徒然草』。何となくわかる表現ですね。

初東雲

はつしののめ

今年最初の太陽が　地平線から静かに昇る
この地球《ほし》に生ける　すべてのものを
見守り　照らし　祝うために
その存在の崇高を
365分の1の　この日だけ
幾億の人々が　思い出す

元日のすがすがしい夜明け

東の空が白々として夜が明け始めるころのことを「東雲《しののめ》」といいます。「初東雲」は元日の夜明け。東の空が茜色《あかねいろ》に染まってくれば「初茜《はつあかね》」。日が昇れば「初日の出」。それらの空すべてをあがめた言葉が「初御空《はつみそら》」。元旦は特別な朝として、さまざまな美しい言葉が奉られています。

初東雲は、まだ夜の名残のある薄暗いうちに起きて、東の空に向かわないと見ることができません。でも、そうして起きた元旦に初日の出を拝めば、すがすがしい気持ちで新しい年を迎えることができるでしょう。

これから訪れる一年はどんな年なのでしょうか。「よい年でありますように」と希望を抱く、その始まりが「初東雲」なのです。わざわざ山の上に初日の出を拝みに行かなくても、早起きして、まず初東雲を拝んでみましょう。

淑気《しゅくき》

寒気に冴える鳥の歌を聴きながら
年賀状を取りに出る
陽射しに透けて浮かぶ文字の「今年こそ」
くすりと笑って　深呼吸

生まれ変わった新しい世界

不思議なものです。元旦の朝の空気は、なぜか昨日までの空気とは違うもののように思えるのです。ただ一日、日付が変わった、たったそれだけのことなのに、なんだか世界中が新しくなったような気がします。そんな正月のめでたい雰囲気を、昔の人は「淑気」と呼びました。新春のすがすがしくおだやかな気分のことです。

起《おこ》りそむる炭の中より淑気かな　増田《ますだ》龍雨《りゅうう》

めでたい雰囲気が満ち満ちている新春には、炭の中にすら身の引き締まるようなすがすがしさを感じるのです。

御降

おさがり

天空から　メッセージが降りてくる
……コノ星八水ノ星　キミタチ八水カラ生マレタ……
流れてゆく水　洗う水　心を動かす涙の水
水の恵みを思い出せ、と

空から舞い降りる新年の祝福

元旦や正月の三が日に降る雨や雪のこと。めでたい正月に不吉な言葉は口にしないという言霊《ことだま》信仰から、「雨降り」や「雨注ぐ」は「涙」にかかる詞《ことば》として忌み、かわりに「おさがり」となったといわれています。

御降が降ればその年は旱《ひでり》に苦しむこともなく、天がその年の豊作を約束してくれたしるしとして、たいへんめでたがられたものです。だから、御降のある正月は「富《とみ》正月」とも呼ばれました。昔の日本人の豊穣《ほうじょう》への期待と祈りの強さを感じる言葉です。

若菜

わかな

一月七日の夕食は
祖母の家で七草粥《ななくさがゆ》、が我が家の決まり
お年玉を卒業してから　ひとり暮らしを始めてから
白と緑の　優しい味がわかり始めて
おばあちゃん　来年もまたつくってね
くしゃくしゃな笑顔でずっと　近くにいてね

萌《も》え出た緑は〝春の七草〟

中国には昔から、正月上《かみ》の子《ね》の日《ひ》（現代の三月初旬ごろ）に、新鮮な青物を食べて無病息災を祈る行事がありました。それが日本に伝わり、平安時代の朝廷では、正月の最初の子《ね》の日、七種類の若菜を天皇に献上するという行事がうやうやしく行われていました。新年の初めに七種の若菜を食すことが万病を防ぐと考えられたためです。野山に入って萌え出たばかりの緑を摘むことを「若菜摘み」、その若菜を入れる籠《かご》を「若菜籠」といいます。

今も行われる正月七日の七草粥は、宮廷行事が一般の人々の間に広まったもの。松の内の最後の日に「春の七草」と呼ばれる七種類の若菜を入れたお粥を食べることで、一年間の無病息災を願う風習です。芹《せり》、なずな、ごぎょう、はこべら、仏の座、すずな（大根）、すずしろ（蕪《かぶ》）が春の七草です。

初夢

はつゆめ

とても　とても　いい夢だった
夢のような　夢だった
なのにほとんど思い出せない
録画しておきたいくらいの夢だったのに

悪い夢なら見なかったことに

年の初めに見る夢を「初夢」といいます。宝船の絵を枕《まくら》の下に置いておくとよい夢を見るともいわれます。でも、実は、その「年の初めに見る夢」については、昔からいろいろな説があるようです。元日の朝に見た夢のことだとか、元日の夜に見た夢のことだとか、さらには、正月二日の夜に見た夢のことだとか。いったいどれが正しいのやら。

でも、あれこれ考えずに、正月のうちに見た夢の中で一番いい夢を初夢にしてしまえばいいんです。細かいことは気にしなくても、年の初めに見た一番いい夢、それが初夢です。

繭玉《まゆだま》

綺麗になりたい　優しくなりたい
あのひとと結ばれたい
いくつもの切なる願いを繭へと託す
いつか羽化する　その日を夢みて

お正月飾りはしっとりと

「繭玉」をご存じですか。お正月の飾りの一つで、水木《みずき》や柳の枝に、たくさんの丸めたお餅や団子をつけたものです。これが「繭玉」と呼ばれるのは、枝についたお餅や団子を繭の形にして、繭の収穫を祈ったからです。ちょっと地味な飾りですが、しっとりとしたお正月らしさを感じさせてくれます。

年末の神社などでは、もっと派手な繭玉が売られています。お餅や団子のほかに、色とりどりのお菓子をつけたり、紙で作った宝船、千両箱、鯛などの縁起物をつけたり。これもまた現代風でよいものですね。

初鏡

はつかがみ

重ねてきた年月《としつき》の　喜びや悲しみが
いまのわたしをつくっているから
とびきりの美人じゃなくても　若くなくても
自分自身を愛したい
白雪姫の継母《ままはは》みたいに呪文を唱えなくたって
わたしたちは誰もみな　世界にただひとりのヒロイン

新年最初のお化粧のノリは？

新年になって初めて鏡に向かってお化粧をすることを「初鏡」あるいは「初化粧」といいます。昔の人は、お化粧をするのでなければあまり鏡を見ることもなかったので、「初鏡」が「初化粧」と同じ意味になったのでしょう。古来、お化粧と鏡とは、切っても切れない間柄だったのです。

京都周辺のある地域には、結婚した年の暮れに実家に鏡餅を贈る習慣があって、そこでは、その鏡餅が「初鏡」と呼ばれているそうです。そんな初鏡もすてきかもしれません。

ところで、新年最初のお化粧をするときはどんなことを考えますか。「今年こそ！」などと考えて、いつものお化粧より気合の入り方が違うでしょうか。

初鏡娘のあとに妻坐る　日野《ひの》　草城《そうじょう》

女性は何歳になっても鏡が大好きなのです。

笹鳴

ささなき

山から降りたうぐいすが
チチチと何度も鳴いている
発声練習しているのかな
春のライブが待ち遠しいね

冬の鶯《うぐいす》は鳴き方も静か

毎年、春になると美しい鳴き声を聞かせてくれる鶯。そんな彼らも、冬の間は薮《やぶ》づたいに庭垣や木の枝などを飛び移りながらチャッチャッと舌打ちするように低い声で鳴きます。これを笹鳴といいます。以前は子供の鶯がまだ上手に鳴けないのでこんな鳴き方をするのだといわれ、「笹子鳴き」(笹子＝鶯の幼鳥)という言葉もありますが、実際には大人の鶯でも同じように鳴きます。

鶯らしい美しい声ではありませんが、この鳴き声を聞くと、厳しい寒さの中にも春が近づいてきたという、ほっと心やわらぐ思いがするものです。

日脚伸ぶ

ひあしのぶ

公園のベンチにふたり　並んで座ると
影が伸びて重なった　冬晴れの日
そろそろ想いを伝えなくちゃね
カラダでちゃんと　寄り添えるよう

太陽はあしながおじさん

日が昇ってから沈むまでの昼の時間のことを「日脚」といいます。冬至《とうじ》を過ぎると、日は少しずつ長くなっていくので「日脚伸ぶ」というのですが、「そういえばずいぶん日が伸びたな」と、ふと実感するのは、一月も末近くなったころでしょうか。

部屋の奥まで斜めに差し込んでいた弱々しい光が入口まで後退し、そのかわりに光が強くなってきます。家の灯りをつける時間も遅くなってきて、ゆっくり春が近づいていることを実感できます。暗い冬を逃れ出た喜びの思いが強く込められた言葉です。

薄氷《うすらい》

薄氷を踏んではしゃぐ　あなたの顔は
いたずら盛りの少年みたい
大人になったタップダンスの貴公子に
陽が差しかかる　春間近

一歩一歩春に近づいている証《あかし》

次第に春めいて、吹く風もやわらかくなり、もう氷も張ることはないだろうと思っているころに、また寒さがぶり返し、水たまりや池、田んぼのすみっこなどに薄い氷が張ることがあります。ちょっと触るとパリパリと割れてしまいそうな薄さで、池などの岸辺近くでは、萌《も》え始めた草の緑が氷の中に透けて見えたりします。

薄氷の草を離るる汀《みぎわ》かな　高浜　虚子

やがて日が高くなると、あっけなく解けてしまうのもはかなくて、「薄氷」は、春がすぐそこまで来ていることを予感させる言葉です。

初音

はつね

たとえば　あの鶯《うぐいす》みたいに
誰にも負けない声があったら
もっと勇気を出せるでしょうか
「あなたが好き」と言えるでしょうか

王朝歌人たちも待ちわびた声

鳥や獣や虫が、その年のその季節に初めて鳴く声を「初音」といいます。夏を告げる郭公《かっこう》の初音や、秋を感じさせる鹿の初音など、昔から歌人たちは、いろいろな初音を歌の題材にしてきました。

でも、日本人が最も愛してきた初音は、やはり、春を呼ぶ鶯の声でしょう。特に王朝の歌人たちは、それを聞いたら誰かに教えずにはいられないというほどに、鶯の初音に思いを寄せていたようです。

ふるさとへゆく人あらば言ひつてむ
今日うぐひすの初音聞きつと　源《みなもとの》兼澄《かねずみ》

春隣

はるどなり

庭に咲く　木蓮《もくれん》の芽が少しずつ大きくなって
シアンの空が優しい夕べ
ずっと　あなたを見つめてきた
急がずに　頑張らずに　雨の日も雪の日も
飛行機雲のしっぽをたどって　メールが歌う
春の予感が　鼓膜を鳴らす

手でさわれるほど近くまできた春

冬のさ中には、寒さにひたすら耐えているだけですが、だんだんと寒さが緩んで冬の終わりが見えてくると、かえって春が待ち遠しくなるものです。まして、何かちょっとした春の兆しに気づいてしまうと、その気持ちはいっそう強まるもの。

頬《ほお》にあたる風も心なしかやわらかくなり、目をこらすと土からかすかに緑のものが顔を出し始め、北国ではつららから滴《したた》るしずくの音も絶え間なく聞こえてくるころ。そんな思いを表す「春隣」は、手でさわれるほど近くまで春が来たという気持ちが素直に伝わるすてきな言葉ですね。

叱《しか》られて目をつぶる猫春隣　久保田万太郎

春も近く、活動的になったわが家の猫。何かいたずらをして叱られてしまった。陽の当たる縁側でぎゅっと目をつぶる猫の様子に、ああ、春が近づいたんだなあという思いがこもります。

風花

かざはな

青い空　銀の星から手紙が届く
それは知らずに心に届き
明日《あす》への栞《しおり》となるのだろう
てのひらに受けた銀粉が
はかなく溶けて　消えたとしても

冬の青空に舞う純白の花びら

風のない晴れ上がった空から、突然花びらのように雪が舞い落ちてくる。そんな経験はありませんか。

「風花」というのは、遠くの山で降っている雪が風に運ばれてきて、晴天なのに舞い散るさまが、まるで花びらのように見えることをいいます。風下の山麓《さんろく》などでよく見られる現象で、気象的には雪の日に数えられます。

はらはらと舞い、降りかかるともなく消えるはかなさと、美しい語感から、昔から俳句や和歌、詩、歌などにもよく使われてきました。王朝時代の歌人はこんなふうに詠んで、まだ遠い春に思いを馳《は》せたようです。

冬ながら空より花の散りくるは
雲のあなたは春にやあるらん　清原深養父《きよはらのふかやぶ》

氷雨

ひさめ

ひとは　本当に哀しいときには
精一杯の笑顔をつくる
ぼくは　きみをあたためられない
気丈なきみが　ただただ　せつない

心を凍《い》てつかせる冷たい雨

傷ついた心を胸に抱いて、夜の街を一人さまよう。傘もささず、冷たい雨に濡《ぬ》れながら――。「氷雨」という言葉から連想されるのは、こんな歌に出てくるような情景ではないでしょうか。

「氷雨」は、霰《あられ》や霙《みぞれ》のこと、またはそれに近い冷たい雨のことをいいます。秋の終わりから冬の初めのころにかけて降るのですが、真冬でないのは、真冬になると気温が低くて雪になってしまうからでしょう。でも、雪よりはるかに冷たい印象があります。ましてや、それが心の中に降る雨だったりすると……。

雪催《ゆきもよい》

ブルーグレイに曇った空を
ふわり　ふわりと舞い飛ぶ　雪虫
そろそろの白い季節を予告する
それは　天から送られた使者《つかい》

雪が降り出しそうな空模様

空には重く雪雲が垂れ込め、底冷えのするような一日。今にも雪が降り出しそうな空模様のことです。「雪模様」とか「雪ぐもり」ともいいます。

雪国に暮らす人にとっては、雪は暗く長い冬を象徴するもので、「雪催」もどこか重苦しい実感を伴う言葉でしょう。でも、雪が珍しい地方では、「雪催」はわくわくと期待するような響きを持っています。

そういう目で見ると、「ゆきもよい」という言葉はとてもすてきな雰囲気がありますね。思わず空を見上げて、「降ってくるとしたら、雪よね」などとうれしそうな会話が飛び交いそうです。

時雨《しぐれ》

憂鬱《ゆううつ》のメトロノームが行き来する　心の理由《わけ》は
解読不能な　あなたの言葉
雨になるかな　雨はやむかな　いつかは虹が見えるかな
鉛色に広がる雲に　ためいきついてテレビをつければ
天気予報まで　曇ときどき雨なんて

さっと降ってさっとやむ初冬の雨

晩秋から初冬にかけて、ときどきさっと降ってさっとやむ雨がありますが、これを「時雨」といいます。日が射していながらサーッと降り過ぎていくこともあります。「過ぐる」が「しぐる」となったもので、「しぐるる」という動詞にもなっています。

時雨を重ねていって、梢《こずえ》の葉は落ちつくし、野山は冬景色となっていくのですが、もちろん都会にも時雨は降ります。

灯の前に降りて明るきしぐれかな　松浦《まつうら》　為王《いおう》

突然の時雨に右往左往するのは現代人ばかりではありません。

宿かりて名をなのらするしぐれかな　松尾　芭蕉

こんなふうに、旅の途中で時雨にあったら困ってしまいますね。でも、そんな不意の雨宿りが思わぬ出会いをもたらすかもしれない……なんていうのは、映画の中だけの出来事なのでしょうか。

細雪

ささめゆき

はらはらと降り続く　細かい雪を
その大木は　ただ黙々と引き受けていた
震えて揺れる　若い草木に
いまは　いのちの準備期間と教えるように

静かに優美に降る細かい雪

古くから「雪月花」といわれてきたように、日本人は、春の桜、秋の月とならんで、冬は雪を愛《め》でてきました。一夜にして世界を変えてしまう雪の朝などは思わず感嘆の声を上げてしまうほどです。それゆえ、雪に関する言葉も大変多いのですが、特にこの「細雪」は、降る雪を表現してナンバーワンといえるでしょう。文字どおり、細かく降る雪のことですが、静かで優美で、清浄な雪の美しさがあますところなく伝わってきます。

『細雪』といえば、美貌《びぼう》の四姉妹の半生を描いた谷崎潤一郎の小説ですが、この美しい女性たちの物語にはぴったりのタイトルですね。

垂り雪

しずりゆき

わたしがあなたを想う気持ちは
積もって溶けない　ぼたん雪
あなたが疲れて逃げ出す前に
自分の重さで　崩れてしまう

ちょっと人騒がせな冬の風物詩

北国の方なら経験があるでしょうか。冬の夜、本を読んだりして遅くまで起きていると、静まり返っていたはずの窓の外から、突然、ドサッという音が聞こえてくる。それを初めて聞いたときには、心臓が止まるかと思うほどびっくりしたはずです。窓の外で何が起きたのだろう、と。

そんな人騒がせな音の正体は、木の枝に積もった雪が自分の重みに耐えられなくなってすべり落ちたものなのです。都会でも、屋根からドサッと落ちる雪の音を聞くことがよくあります。これが「垂り雪」。北国ならではの冬の風物詩です。

雪晴れ

ゆきばれ

綿の国に光のシャワーが降り注ぐ
まぶしくも清浄なその朝に
わたしは強く　強く思った
理想を掲げて　明日《あす》を目指そう

待ちに待った日差しと洗濯物の山

雪がやんで青空が見えることを「雪晴れ」といいます。雪の白さに太陽の光が反射して、まぶしいこと！　でも、子供たちは雪だるまを作ったり、雪合戦をしたり大騒ぎ。大人たちもうれしそうにニコニコ顔です。「雪の挙げ句の裸ん坊の洗濯」という言葉もあります。雪国では、雪の日が続くと、洗濯をしても乾かないので、洗濯物がたまります。ようやく雪が降りやんで晴れた日には、もう着るものがなくなって、みんな裸で洗濯をしなければならなかったというわけです。雪晴れは大人も子供もうれしい一日なのです。

美しい日本語

知っておきたい言葉
残しておきたい言葉

美しい日本の色

美しい言葉遣い
敬語・謙譲語

一月から十二月の
和の呼び名
（月の異称）

美しい日本の色

色の名前は洋の東西を問わず美しいものが多いのですが、
日本古来の色とその名前を
あなたはどのくらい知っていますか?
ここに挙げたのは日本の色のほんの一部ですが、
その色合いと名前の美しさをご鑑賞ください。

朽葉色《くちばいろ》

落ち葉のようなくすんだ黄赤

落ち葉には、朽葉四十八色などといわれるほど、さまざまな色がありますが、茶色くなった落ち葉の代表的な色が朽葉色。秋の風情を感じるこの色名は、平安朝の貴族にこよなく愛されたといわれます。

丁字（子）色《ちょうじいろ》

くすんだ赤みのある黄

香料にも使われる高価なチョウジのつぼみから作られた染料に、鉄分や灰汁《あく》を加えて染色した布の色。平安時代から使われている染色名で、江戸時代には色だけ似せたものが出回るほど大流行しました。

亜麻色《あまいろ》

明るい灰色がかった黄

亜麻糸（リネン）の色。もともと日本語の色名にはなかったものです。ドビュッシーのピアノ前奏曲集「亜麻色の髪の乙女」や同名のGSナンバーの曲名から、色名が広く知られるようになりました。

鬱金色《うこんいろ》

華やかな金茶

漢方薬や香料、着色料として知られるウコン（ターメリック）で染めた鮮やかで華やかな黄色の色名。江戸時代初期に鬱金色として色名が登場し、派手好みの当時の人々に広く愛用されました。

※ここに出てくる色はカバーの袖にカラーで掲載しています。あわせてご覧ください。

萌黄《もえぎ》（萌葱・萌木）

芽が出たばかりの黄緑

黄緑を表す代表的な日本古来の色名。芽吹いたばかりの初々《ういうい》しい黄緑を表現するために、いろいろな字が当てられています。

春の色であるのは当然ですが、若者の象徴としても使われてきました。

若草色《わかくさいろ》

萌黄より明るい黄緑

若草という言葉は、昔から新鮮でみずみずしいものをたとえるときによく使われてきました。新緑の鮮やかな黄緑色を表す代表的な色名として、今も使われています。「若」には明るいという意味もあります。

水浅葱《みずあさぎ》（水浅黄）

浅葱より明るい青色

藍染《あいぞ》めの一番浅い青のこと。浅葱水色とか水色浅葱とも呼ばれます。カール・ブッセ作、上田敏《うえだびん》訳の詩『山のあなた』の一節で「流れの岸のひともとはみそらのいろの水浅葱」と美しく歌われました。

鶯色《うぐいすいろ》

鶯のようなくすんだ黄緑

鶯の羽の色に似た暗めの黄緑系の色です。これより褐色がかった「鶯茶」ともよく似ています。

渋い中にも上品な色合いで、江戸時代の庶民に親しまれ、現代でも洋服に取り入れられている色です。

浅葱《あさぎいろ》（浅黄）色

葱《ねぎ》の若芽のような薄青緑

ターコイズブルー。和名は、藍染めの染めの浅い所に出る緑がかった青色が、芽を出したばかりの葱の葉の色と似ていることに由来します。青緑系の色には適当な和名がないため、幅広く浅葱という色名が使われたそうです。

海老茶《えびちゃ》

暗めの茶色っぽい赤

もともとの色名は葡萄色《えび》ですが、近世になると、この色名からのイメージが山葡萄ではなく、伊勢海老の殻の色と変わり、当てる漢字も海老になったようです。明治時代、女学生の袴の色として活躍しました。

蘇芳色《すおういろ》

高貴な人の着る濃い赤

奈良時代の「衣服令」には、紫に次いで高貴な色とあり、蘇芳色は『日本書紀』にも出てくる伝統ある色です。スオウはインド・マレー半島原産のマメ科の植物で、染料の芯材は古くから渡来していました。

臙脂色《えんじいろ》

黒みがかった濃い赤

「臙《えん》」は中国古代国家の中心地の名前に由来し、「臙脂」は中国渡来の発色材の名前です。日本に入って来た時期は中世ですが、人工染料が開発された明治以降に定着し、一般的な色名になりました。

鴇色《ときいろ》

トキの羽のような薄桃色

国際保護鳥で特別天然記念物のトキは、その羽の色の美しさで乱獲され、絶滅の危機に瀕《ひん》しています。鴇色は、その美しい風切り羽の色から名づけられました。薄いピンクのかわいらしい色です。

茜色《あかねいろ》

夕焼けのような深い赤

茜は、山野に自生する蔓《つる》性の多年草。その根が赤いことから赤根と呼ばれるようになりました。藍《あい》と並ぶ最古の染料の一つです。その色は、夕焼けのような深い赤。「茜さす」は赤く色づくことを形容する枕詞《まくらことば》にもなっています。

縹（花田）色《はなだいろ》

藍で染めた青そのもの

藍だけで染めた青そのものの色。古代から、藍だけで染めた色を「縹《はなだ》」と呼んでいました。はなだの音に当てたのが、「花田」という字で、縮めて「花色」ということも。日本の伝統色の中で、最も普及した色です。

菫色《すみれいろ》

スミレの花の青紫

花の姿が大工道具の「墨入れ」に似ていたことからその名がついたスミレ。花は、『万葉集』にも詠まれるほど古くから愛されてきましたが、色名が広く知られるようになったのは、近代になってからです。

瑠璃色《るりいろ》

最も美しい濃い青

青の中でも、特に美しい青を表現するときに使われる瑠璃色。瑠璃は仏教の七宝の中で唯一青い宝石として珍重されるラピスラズリーやコバルトガラスをさしますが、本来は、紫の冴《さ》えた濃い青色です。

薄墨色《うすずみいろ》

薄い墨色は喪《も》の色

墨染（どんぐりの煎汁を鉄媒染で染めたもの）の薄い色で、日本古来の色名です。薄墨衣は喪服のこと。今でも、死亡通知などは薄墨色で印刷する習慣が残っています。薄墨桜という美しい名前もありますね。

利休鼠《りきゅうねずみ》

緑みを帯びたグレー

茶の湯を完成させた茶人の利休を連想させますが、あまり関係はありません。緑がかった灰色をお茶の葉と結びつけて、風流で高雅な色という意味で、利休の名を借りたものです。「青《せい》磁《じ》ねず」とも。

美しい言葉遣い

―敬語・謙譲語―

日本語には尊敬語と謙譲語、丁寧語というやっかいな言葉遣いがありますが、これは反面、その人の内面の美しさを際だたせる役目もします。これを使えばそれだけで洗練された美人に思われるという言葉遣いのいくつかをご紹介しましょう。

「お召しになる」「召し上がる」

- お風邪を召しませんように。
- なんてすてきな着物をお召しなんでしょう。
- どうぞ冷めないうちに召し上がってください。

それぞれ「風邪を引く」「着る」「食べる」の敬語ですが、この言葉を使えば、それだけで相手の好感を得ること間違いなしです。

謙譲語

「食べる」→いただく・頂戴する

よくある間違い

× 畑でとれたりんごです。お食べください。
○ 畑でとれたりんごです。召し上がってください。

「おっしゃる」「申す」

- どうぞ遠慮なくおっしゃってください。
- 詳しくお話し申し上げますと……。

「言う」の敬語、謙譲語です。セットで使うと知的な印象度がぐんとアップします。手紙などでは確実に使える人でも、いざ話し言葉になると使いにくくて……ということも多いようなので、ふだんから使いこなすことが大切な言葉の一つでしょう。

よくある間違い

× さきほど申された件ですが……。
○ さきほどおっしゃった件ですが……。
× (取引先に)部長もおっしゃっていますが……。
○ 部長も申しておりますが……。

「なさる」「いたす」

- どうぞお大事になさってください。
- おっしゃるようにいたします。
- いかがなさいましたか？

「する」の敬語が「なさる」、謙譲語が「いたす」ですが、「どうしましたか？」は一見ていねいなようですが、「どうなさいましたか？」と比べると、その差は歴然。ぜひ日常的に「なさる」を使いこなしましょう。また、「そうします」より「そういたします」のほうがよりていねいな感じを受けますね。

▼▼▼よくある間違い

× お食事にいたしますか？
○ お食事になさいますか？

「いらっしゃる」「おいでになる」

- 何時ごろにおいでになりますか？

「来る」「訪問する」の敬語です。学生のころは「先生が来るよ」などと言って平気だったとしても、美しい大人の言葉遣いとしては、「○○さんがいらっしゃる」と言いましょう。

▼▼▼謙譲語　参る・うかがう

- 4時ごろにうかがわせていただきます。
- 少々お待ちください。部長はすぐに参ります。

▼▼▼よくある間違い

× 何人で参られますか？
○ 何人でいらっしゃいますか？

「よろしいでしょうか」

- この席にすわってもよろしいでしょうか。

「いいですか」の丁寧語です。「すわってもいいですか？」と聞かれると「いや、ちょっと人が来ますので」などと断りたくなってしまいますが、「よろしいでしょうか」と言われると、「どうぞどうぞ」と気持ちよく受け入れたくなるのが人情というものですね。

「わたくし」

●わたくしもそう思っております。

友だちと話しているときは「わたし」や「あたし」でも、仕事の場や目上の人と話すときは「わたくし」ときちんと言いましょう。次に続く言葉もきちんとしてきます。

「かしこまりました」「承りました」

●コーヒー二人分ですね。かしこまりました。
●お話は承りました。

「わかりました」、あるいは単に「はい」と言ってすませてしまいがちな言葉ですが、このくらいのていねいさはぜひ身につけましょう。ビジネスの場面でもそのまま使えます。

「こちら」「どちら」

●こちらにいらっしゃいませんか?
●どちらをお好みでしょうか?

「あっち」「こっち」「そっち」「どっち」ではなく、「あちら」「こちら」「そちら」「どちら」を使いましょう。言葉としての美しさが断然違います。

「恐れ入りますが……」「いまよろしいでしょうか……」

●恐れ入りますが、椅子を少しずらしていただけませんか?
●いまお電話でお話ししてもよろしいでしょうか?
●少しお時間をいただけますか?
●突然で申し訳ありません。

いわゆる「前置きになる言葉」です。なんでもかんでも「あのぉ……」や「すみませんが……」ですませてしまっていたあなた、今日からでもこんな大人の言葉を使ってみませんか。前置きになる言葉がていねいだと、その次に続く言葉も自然にていねいになります。覚えておいて損はありません。

「拝見する」「拝読する」「拝聴する」「拝受する」

●お手紙拝見いたしました。
●ファックスを拝受しました。

それぞれ「見る」「読む」「聞く」「受け取る」の謙譲語です。こんな使い方を知っていると、書き言葉としても話し言葉としても便利なうえ、相手の好感度アップは間違いありません。たとえば「先生のご著書を読みました」というより、「ご著書を拝読いたしました」と言えば、著者も「ああ、物を知っている人だな」と応対も変わってくるかもしれません。言葉というのはそれほど力のあるものなのです。

▼▼▼よくある間違い

× ご拝読くださいませ。
○ ご一読くださいませ。
× 先生のご講演、楽しく聞きました。
○ 先生のご講演、楽しく拝聴いたしました。

「お（ご）～になる」「くださる」「られる」

●お越しくださいますか？
●ご覧になりますか？
●○○さんはご旅行に行かれました。

基本的な敬語の使い方です。上に「お」や「ご」をつけても、語尾が敬語になっていなければ意味がありませんね。たとえば「○○さんはご旅行に行きました」では、単にていねいに言っただけで、敬語にはなっていません。「先生はテレビにご出演します」「ご両親が上京します」などなど。これではかえって恥をかいてしまいます。こうした基本的な敬語は毎日の会話の中でたくさん使って身につけていきましょう。

▼▼▼よくある間違い

× 息子さんもご立派におなりになって……。
○ 息子さんも立派になられて……。

なんにでも「お」や「ご」をつければいいわけではなく、「ご立派におなりになって」などはていねいすぎて嫌みです。「立派になられて」で十分。「ご便利です」「お力をお貸しくださいい」などもそれぞれ「便利です」「力をお貸しください」が正しい表現です。

一月から十二月の

和の呼び名

（月の異称）

現在、私たちが使っている一月・二月という月の呼び名は、順番を表しているだけの味気ない月の名。旧暦では、農耕民族らしい日本人の知恵や、繊細でふくよかな感性で、端的に表現された呼び名が、暮らしの中に息づいています

旧暦の月の異称

明治五年十二月三日に、陰暦から、国際的に使用されているグレゴリオ暦に改暦され、今日に至っています。一般的にいわれる旧暦とは、改暦までに使われていた日本最後の陰暦「天保暦」を指しているようです。当然、現在の季節感とは、一〜二か月ほどずれがありますが、今でも農作業や伝統行事などには使われています。

旧暦の月名には、自然や神を敬う気持ち、厳しい自然と共存する知恵や祈りが込められています。その響きも美しく、日本人の粋《いき》が凝縮されているのです。

天気予報でおなじみの二十四節気とは

二十四節気は、今でも祝日として残っていたり、立夏や立冬など天気予報で耳にする言葉もあり、意外になじみのあるものです。

その起源は中国。一年を二十四等分して、十五日間を一単位とし、それぞれの気候にあった名前をつけたのです。昔の人は、それに基づいて、農作業をしたり、家事に勤《いそ》しんだり、行事を楽しんだり、厳しい季節をしのいだりしたのでしょう。

そんな先人たちの知恵を取り入れ、移ろい続ける季節を慈しみながら、新鮮な日々を送ってみませんか。

月	和の呼び名	由来	二十四節気	その意味
一月	睦月《むつき》 初月 正月 元月	旧暦では、春の始まり（立春のころ）が、新しい年の始まりでした。年賀状に初春や迎春と書くのはこのため。「睦月」は、新しい年を祝うために、親戚一同が集まって、睦《よろこ》びあう月の意。「初空月」など、日常を新鮮なものに変えてくれる異称もたくさんあります。	小寒《しょうかん》（一月五日～二十日ごろ） 大寒《だいかん》（一月二十一日～二月三日ごろ）	●寒さは、いよいよ厳しくなり、池や川の氷の厚みも増し、降雪も増えます。小寒から節分までの約三十日間を「寒の内」と呼びます。 ●一年中で、最も寒さの厳しいころであることから大寒。寒の時期は、現在の気候と合致しています。
二月	如月《きさらぎ》 梅見月 雪消月 木芽月	春めいてきたからと、着物を一枚脱いだとたんに寒さが戻ってきて、衣を更に着直す羽目になってしまう時期なので、「着更衣」と呼んだのが始まりです。 また、草木が再び芽生えるころであることから、生命が更生する（蘇る）月で「生更ぎ」という説もあります。	立春《りっしゅん》（二月四日～二十日ごろ） 雨水《うすい》（二月二十一日～三月四日ごろ）	●旧暦では立春が一年の初めとされていました。春の気が立つ（春めいてくる）という意味で立春。心弾む響きです。 ●冬の間に降った雪や氷が解けて水となり、空から降るものも雪から雨に変わることから。草木の芽生えが始まります。
三月	弥生《やよい》 花見月 花咲月 桜月	木草《きくさ》弥生《いやお》い茂る月。弥生は、いよいよ・ますますの意味で、草木が勢いよく成長し始める月というのが語源です。 陰暦三月には、花月《かげつ》、嘉月《かげつ》、夢見月《ゆめみつき》、暮春《ぼしゅん》などの異称もあります。	啓蟄《けいちつ》（三月五日～二十日ごろ） 春分《しゅんぶん》（三月二十一日～四月四日ごろ）	●冬眠していた虫が、目を覚まして穴から這い出してくるという意味。実際に虫が活動するのはもう少し先のこと。 ●昼と夜の長さがほぼ同じに。この日を境に、徐々に昼の長さが長くなり、本格的な春になります。春分の日は、自然をたたえ、生命を慈しむ日です。

月	和の呼び名	由来	二十四節気	その意味
四月	**卯月《うづき》** 夏初月 花残月	卯の花が咲く月だからというのが一般的な由来。ほかに、「う」は初・産を意味し、一年の循環の最初を表しているという説や、十二支の四番目「卯」にかけてとか、稲の苗を植える月「種月《うづき》」「植え月」「苗植月」が転じてなど、諸説あるようです。	**清明《せいめい》** （四月五日〜二十日ごろ） **穀雨《こくう》** （四月二十一日〜五月五日ごろ）	●「清浄明潔」を略したもので、春の明るい光が満ち、清らかで生命力にあふれた春の様子を表現したもの。春、本番です。 ●田畑の準備が整うこのころに降る柔らかな雨が、農作物を盛んに生長させ、いろいろな穀物を潤すということから。
五月	**皐月《さつき》** 早苗月 田草月 五月雨月	「さ」は、耕作を意味する古語。稲作の繁忙期であるため、この月は「さ月」と呼ばれるように、漢字の「皐」には、神に捧げる稲という意味があるためにこの字が当てられたそうです。「早苗（稲の若苗）月」といっていたのが詰まって「さつき」になったという説もあります。	**立夏《りっか》** （五月六日〜二十日ごろ） **小満《しょうまん》** （五月二十一日〜六月五日ごろ）	●夏立つ日で立夏。暦の上では、この日から立秋の前日までが夏。若草色で野山が彩られ、夏の気配が感じられるようになるころです。 ●小満は、陽気がよくなり、草木が繁って天地に満ち始めるころという意味です。
六月	**水無月《みなづき》** 風待月 蝉羽月 涼暮月 鳴神月	水田に水を引く月であることから「水の月」が語源といわれています。無は、「の」意味です。ほかに、夏の盛りで水も枯れるからや、「かみなり月」が転じてや、稲作の大切な仕事をし尽くして「皆仕尽月《みなしつき》」であるからなど、さまざまな説があります。	**芒種《ぼうしゅ》** （六月六日〜二十一日ごろ） **夏至《げし》** （六月二十二日〜七月六日ごろ）	●芒《のぎ》は、稲や麦などイネ科の植物の実にある針のような毛のこと。穀物の種まきをする時期という意味。現在の種まきの時期は、大分早まってきているようです。 ●北半球では、太陽が一番北に寄り、北回帰線の真上にくるので、昼の時間が最も長くなります。

七月	八月	九月
文月《ふみづき》 七夕月 七夜月 穂見月	葉月《はづき》 桂月 月見月 木染月 壮月	長月《ながつき》 寝覚月 紅葉月 菊見月
古くは、稲の穂がふくらむ季節だから「穂含月《ほふみづき》」とも呼ばれていました。歌や字を書いた文を供える七夕の行事にちなんだことが語源といわれる「文月」。中国の七月七日に書物の虫干しをする習慣が日本に伝わり、「文ひらく月」からという説もあります。	新暦では、九月上旬から十月上旬にあたるこの時期は、落葉のことなので「葉落ち月」が略されてという説が一般的です。ほかに、稲の穂が張る「穂張り月」→「張り月」→「葉月」という説や、北から雁《かり》が飛来する時期なので「初来月」→「初月」→「葉月」など、諸説ありますが、正確な語源はわかっていません。	由来は、夜が次第に長くなることから命名されたという説が有力です。「夜長月」とも。そのほか、雨がたくさん降るので「長雨月」が略されてとか、「長」は稲が毎年実ることを祝う意味があり、豊作を祈って名づけられたとか、「名残月《なごりのつき》」が転じたという説も伝わっています。
小暑《しょうしょ》 (七月七日〜二十三日ごろ) **大暑**《たいしょ》 (七月二十四〜八月七日ごろ)	**立秋**《りっしゅう》 (八月八日〜二十二日ごろ) **処暑**《しょしょ》 (八月二十三日〜九月七日ごろ)	**白露**《はくろ》 (九月八日〜二十二日ごろ) **秋分**《しゅうぶん》 (九月二十三日〜十月八日ごろ)
●梅雨明け間近で、夏の天候となり、暑さが増してくるころであることから小暑。 ●夏至から約一か月後。一年中で最も暑さのきびしい時期です。この暑さを乗り切るために、土用の丑《うし》の日にうなぎを食べる習慣ができました。	●秋立つ日。実際には、最も暑い期間です。また、暑中見舞いは前日まで。立秋からは残暑見舞いとなります。 ●暑さが止むという意味の「処暑」。日中の暑さは相変わらずですが、朝夕には心地よい涼風が。	●夜間の気温が下がり、草花に白露が降り、秋の趣を感じるころであることから白露。 ●春分の日と同じく、昼夜の長さが同じになる日。この日を境に夜の方が長くなります。秋分の日は、先祖を敬い亡くなった人を偲《しの》ぶ日。

月	和の呼び名	由来	二十四節気	その意味
十月	神無月《かんなづき》 時雨月 神去月 初霜月	「無」は水無月と同じく「の」を意味し、「神の月」。新穀を奉納する祭儀（神嘗祭《かんなめさい》）を行う月であることから「神嘗月《かんなめづき》」。 全国の神々が出雲大社に集まり、他の地方が「神無し」になってしまうからという説も伝えられています。ですから、出雲地方では「神在月《かみありづき》」というそうです。	寒露《かんろ》 （十月九日～二十三日ごろ） 霜降《そうこう》 （十月二十四日～十一月七日ごろ）	●寒くなり、草木の葉に宿る露が冷たくなることから寒露。稲刈りも終わり、人々は秋の深まりを実感します。 ●夜間の冷え込みが厳しくなり、霜の降りるころの意。このころになると、早朝に霜を見るようになり、冬の到来を感じます。
十一月	霜月《しもつき》 雪見月 神楽月 神帰月	霜がしきりに降りるころなので、「霜降り月」が「霜月」になったとする説が有力です。ほかに、十は満ちた数なので「上な月」、対して十一は「下な月」で「霜月」となったとする説や、穀物が豊かにある時期であることから「食物月《をしものつき》」を略したという説もあります。	立冬《りっとう》 （十一月八日～二十二日ごろ） 小雪《しょうせつ》 （十一月二十三日～十二月六日ごろ）	●太陽の光が一段と弱くなり、日脚《ひあし》も短くなって、冬の気配が立つことから。立冬から立春の前日（節分）までが、冬となります。 ●「小」は、まだ深くないの意。雪がちらつき始めるころであることから。
十二月	師走《しわす》 年満月 果月 極月	十二月は、年末でみな忙しく、師匠といえども趨走《すうそう》（走り回る）する月であるからという説は、広く知られています（「師」は、お坊さんという説もあります）。「四季果つる月」や「為果《しは》つ月《つき》」が「しはす」と転じたもので、師走という漢字は当て字という説もあります。	大雪《たいせつ》 （十二月七日～二十日ごろ） 冬至《とうじ》 （十二月二十一日～一月四日ごろ）	●北風が強くなり、日本海側や北国では降雪が多くなり、雪景色へと変わります。 ●北半球では、一年で一番太陽が低くなり、昼が一番短くなります。寒さも厳しくなるので、栄養価の高い小豆粥《あずきがゆ》やかぼちゃを食べ、柚子湯《ゆずゆ》に入る習慣があります。

参考資料

●文献
「歳時記語源辞典」 橋本文三郎／文芸社
「入門歳時記」 大野林火監修／角川書店
「季語辞典」 暉峻康隆／東京堂書店
「俳句歳時記」 楠本憲吉編／講談社
「新撰俳句歳時記」 明治書院
「季節のことば辞典」 復本一郎監修／柏書房
「花鳥俳句歳時記」 黒田杏子編／平凡社
「花の歳時記」 居初庫太／淡交社
「絶滅寸前季語辞典」「続絶滅寸前季語辞典」 夏井いつき編／東京堂出版
「日本大歳時記」 講談社
「美しい日本語　季語の勉強」 辻桃子・安部元気／創元社
「いきな言葉やぼな言葉」 中村喜春／草思社
「日本人が忘れてはいけない美しい日本の言葉」 倉島長正／青春出版社
「語源の文化誌」 杉本つとむ／創拓社
「王朝びとの四季」 西村亨／講談社
「源氏物語事典」 学燈社
「日本国語大辞典」 小学館
「古語大辞典」 角川書店
「国歌大観」 角川書店
「国史大辞典」 吉川弘文館
「平安時代史事典」 角川書店
「新明解国語辞典」 三省堂
「広辞苑」 岩波書店

●インターネット関係
「Yahoo!辞書」 http://dic.yahoo.co.jp/
「気象用語集」 http://kobam.hp.infoseek.co.jp/meteor/top.html
「ハイパー漢字検索」 http://www.theta.co.jp/kanji/
「植物園へようこそ！ ボタニカルガーデン」
http://aoki2.si.gunma-u.ac.jp/BotanicalGarden/BotanicalGarden-F.html
「語源由来辞典」 http://gogen-allguide.com/

●イメージポエム
道行 めぐ（みちゆき・めぐ）
詩作家。東京都出身。日本大学芸術学部文芸学科中退後、1986年作詞家デビュー。中森明菜、浅香唯など歌謡曲、ポップスの分野で活躍したのち著作活動へ。現在はおもに動物や恋愛をテーマにした詩作、コラム執筆などを行っている。著書に「恋色のブーケ」「きんいろのけだま」「ゴールデン&ラブラドールと暮らす」など多数。　ウェブサイト　http://www004.upp.so-net.ne.jp/solalist/

●解説文
来戸 由起子
佐藤 民子
石崎 芽衣
繁田 信一
浅野 亜土子
一校舎国語研究会

●編集協力
中山幸子（株）一校舎

●デザイン
岡島 陽（AVANT）

きれいを磨く　美しい日本語帳

著　者　道行めぐ　一校舎国語研究会
発行者　永岡 修一
発行所　株式会社　永岡書店
〒176-8518　東京都練馬区豊玉上1-7-14
電話（代表）03-3992-5155　（編集）03-3992-7191
ＤＴＰ　ディーキューブ
印　刷　精文堂印刷
製　本　ヤマナカ製本

ISBN978-4-522-42367-7　C0076
落丁本、乱丁本はお取替えいたします。